Samir y Jonathan en el planeta Marte

Daniella Carmi

Samir y Jonathan en el planeta Marte

Traducido del hebreo
por Carlos Silveira

Lóguez

Colección dirigida por Maribel G. Martínez

Diseño de cubierta: Artur Heras
Cubierta: Artur Heras

Ctra. de Madrid, 90. Apdo. 1 Tfno. (923) 13 85 41
37900 Santa Marta de Tormes (Salamanca)
ISBN: 84-89804-13-3
Depósito Legal: S. 1.454-2005
Printed in Spain "Gráficas Varona, S.A."
Salamanca, 2005

Papel ecológico

Prólogo

Samir es un chico palestino. Vive en Oriente Medio, en el «Westbank», como es llamada la orilla occidental del Jordán, una zona que está ocupada por Israel desde la Guerra de los Seis Días de 1967. El enfrentamiento entre israelíes (judíos) y palestinos (árabes), dura ya aproximadamente cien años por la tierra que unos llaman «Israel» y otros «Palestina».

La historia tiene lugar al final de los años ochenta. El chico palestino Samir es llevado a un hospital israelí, para una complicada operación de rodilla. Él teme el momento en que su madre lo deje solo en el «hospital, con los judíos». Todo le resulta desconocido: el hebreo, que allí se habla, las costumbres, incluso la música. Por otro lado, descubre lo pacíficamente que se vive en ese hospital, no como en la calle, en su tierra, donde los palestinos luchan contra los soldados israelíes. Samir se encuentra, por primera vez en su vida, en un lugar totalmente judío, entre niños israelíes, que también están en el hospital. Por primera vez, él está solo en zona «enemiga».

P.S.: El 13 de septiembre de 1993, poco después de que fuera escrito este libro, se reunieron los representantes israelíes y palestinos en Washington. Firmaron un acuerdo, que quizá en un próximo futuro marque una solución pacífica del conflicto entre ambas naciones.

Daniella Carmi

1

Toda la semana la he pasado rezando para que haya toque de queda. Si hubiera toque de queda, no podríamos salir de la aldea y yo no tendría que viajar con mamá al hospital, con los judíos. Estoy sentado como una gallina desde esta mañana temprano en la ancha repisa de la ventana y espero. Pero hoy todo se mantiene tranquilo. La calle está vacía. Pasa el vendedor de tortas de pan arrastrando su pierna. No me molestaría tener que arrastrar mi pierna, como el viejo, toda la vida. Con tal de que no me llevaran al hospital...

No recuerdo cuándo fue la última vez que hubo tanta tranquilidad en la calle. Precisamente hoy. Ahí llega el autobús. La gente se baja y se va tranquilamente calle abajo. No llega lanzado ningún jeep militar, que frene con un chirriar de ruedas. Nadie corre por las callejuelas. Incluso el aire es hoy limpio. No huele a goma quemada.

Veo a lo lejos a mi amigo Adnan jugando con una pelota de tenis rota. Viene dándole patadas en dirección a mí, levantando una gran polvareda, hasta que llega exactamente delante de mi ventana.

—¿Pasa algo en el bazar? —le pregunto impaciente.

—Esta mañana temprano, había unos neumáticos ardiendo —dice Adnan, saca una manzana verde del bolsillo y le da un mordisco. Qué me importan a mí que algunos neumáticos hayan estado humeando por la mañana. Veo masticar a Adnan y sé que ya ha merodeado por el bazar y ha recogido algunas frutas desechadas.

—¿Vienes? —pregunta y escupe el mordisco de manzana verde. Balanceo mi vendada pierna, pero no le causa ninguna impresión.

¿Cómo podría impresionar mucho una caída por las escaleras del bazar desde una bicicleta con dos ruedas traseras? ¡Con lo orgulloso que yo había estado de bajar en bici las anchas escalinatas desde la panadería hasta el puesto del vendedor de tortas! Antes no me había atrevido a coger aquel atajo, con todos los panes atrás. Fue mi primera vez y sé muy bien cómo sucedió. Pensé: Tu hermano Fadi sonreiría ahora. Pero, cuando las tiendas pasaban veloces ante mis ojos y el viento me soplaba en la cara, supe que jamás sería como mi hermano Fadi. Los valientes mueren, los cobardes siguen viviendo.

A veces me viene un extraño pensamiento: ¡Si por lo menos hubiera recibido un balazo en la pierna y no me hubiera caído de la bici como un idiota! Entonces me veo de vuelta del hospital en muletas. Cojeo sobre una pierna, la única que me ha quedado. La otra pernera está vacía y ondea al viento. Entro en la clase. El maestro se levanta ante mí. Uno comienza a aplaudir.

—Están jugando en la callejuela —dice Adnan, golpea la pelota en el aire y la recoge con un movimiento suave, como un campeón de tenis en la televisión. ¡Como si ellos me dejaran ser portero mientras la pierna no esté bien! Adnan se da cuenta de que estoy enfadado—. De todas formas, sin tu hermano Fadi, el juego resulta una tontería —dice. Y arranca mi reproche como un pelo cuando se le quiere sacar de la masa del pan. Ya bota su pelota calle abajo.

El tren de las cuatro y cuarto se acerca silbando. Abuelo sale al patio. Es una vieja costumbre suya. Cuando todavía éramos pequeños, venía siempre un minuto antes de que pasara el tren delante de nosotros y nos reunía a voces para que no jugáramos en la vía. La valla, hace años que está rota y nadie la repara. El abuelo continúa estando muy cerca del tren para sentir en su cuerpo el aire que produce al pasar. En el momento en que el tren pasa por delante de nuestra casa, le miro a la cara. Parece como si se concentrara en algo que yo no comprendo, como si estuviera dispuesto a subirse al tren para irse lejos, hasta detrás de las siete montañas.

Mi abuelo es ciego. Por las noches, veo con él las noticias de Jordania o de Egipto. El locutor informa de las luchas en Yugoslavia. Abuelo escucha y yo le describo cómo la gente huye en trenes de las ciudades bombardeadas. Después, están sentados con sus maletas en las estaciones o en los pabellones de deportes de un país extranjero. Las ancianas lloran. Los niños intentan dormir sobre los bancos. Pregunto al abuelo quién tiene razón en esa guerra y él dice molesto: —Algo es cierto: Todos opinan que tienen razón.

Para otro autobús. Mamá se baja con sus cestas y se apresura hacia casa. Ahora pondrá el arroz y pronto estará lista para ir conmigo al hospital. Aguzo el oído. Creo oír gritos procedentes de la calle de al lado, pero sólo es un cuervo. Rezo, de nuevo, para que lleguen a toda velocidad dos jeeps militares —menos de dos ya no se atreven a entrar en la aldea—, entonces habría un enfrentamiento y la gente correría por las callejuelas. ¡Dios mío, hace tiempo que no he pedido nada!

Abuelo está sentado delante del otro hueco de la ventana y fuma, y mi hermana Navar, que habla siempre sin parar, precisamente hoy se calla como una piedra y lava el arroz. Todavía recuerdo que antes mamá rellenaba con arroz las hojas de berza y los calabacines. Se comía con salsa y creo que con carne, aunque ya no lo sé con exactitud. Nunca he visto a mi hermana Navar trabajar así. De pronto, es como una hormiga. Si, al menos, comenzara de nuevo con su historia del chico que conoció en Belén, lo que él dijo y lo que ella le contestó. Así no terminaría nunca de lavar el arroz. Hablaría de él como si todavía viviera. Después de esa historia, comenzaría a quejarse y a jurar que jamás, en toda su vida, se casará con su primo Rachíd, porque él es camarero y ella tiene el bachiller. Nadie reaccionaría ni diría nada hasta que papá explotara, rompiendo, por fin, su silencio y gritara: «¡El que vive, vive, y el que está muerto, está muerto!». Entonces Navar se pondría a llorar y probablemente abuelo comenzaría a mesarse los cabellos, y todo eso podría llevar a que perdiésemos el autobús y el viaje al hospital sería aplazado e, incluso, quizá suspendido.

Sin embargo, aquí estoy, apoyado sobre mi muleta, como un condenado, entre mamá y papá, en la parada. Papá espera con nosotros el autobús, mientras examina la autorización de viaje de mamá, que nos ha conseguido la abogada donde mamá va a hacer la limpieza. Una autorización especial de viaje para ser operado en el hospital de los judíos. Incluso, aunque uno pase tres noches esperando delante de la administración militar, no se consigue esa autorización. Pero ya oigo el autobús. Nunca ha llegado tan pronto.

2

—Quítate los pantalones —dice el médico. Pero hay una enfermera y mira, y en ese momento mamá ha ido a buscar unas radiografías a otra habitación. De las paredes cuelgan gigantescos cuadros de paisajes. El agua cae desde las montañas nevadas. Como en las películas. Y yo estoy sentado sobre la cama. Ni siquiera un ganso antes de ser degollado da una mejor imagen. Hago como si no entendiera nada.

—Por favor, quítate los pantalones —dice ahora el médico en árabe, así como los judíos hablan el árabe y me mira como si yo fuera su único hijo. Corre las cortinas alrededor de la cama para que yo esté solo. Desabrocho el botón, lucho un momento con la cremallera y, finalmente, dejo caer los pantalones sobre los zapatos. Sólo eso. Espero.

En alguna parte, suena música de una radio. El médico habla unas frases en voz baja con las enfermeras. Aquí todo es muy sosegado. Todos tienen tiempo. El médico entra por entre las cortinas y deja fuera a las enfermeras. Se lo agradezco en silencio. Con cuidado, retira el vendaje. Sus manos son tan blancas como las del sacerdote de la televisión jordana los sábados por la noche. Mamá vuelve con las radiografías. El médico las pone al contraluz y las observa. Le dice a mamá que puede sentarse, pero mamá continúa de pie. Después le explica que la rodilla está rota y que tenemos que esperar hasta que el especialista regrese de Chicago. Hasta entonces, debo quedarme en el hospital.

El agua de la fotografía comienza a fluir bajo el cielo azul sin nubes, pero mi corazón está como muerto. Estoy solo en esta habitación, solo con la azulada y siseante luz. Tengo miedo y, además, me encuentro algo confuso. Dejo que hagan conmigo lo que quieran. Me acuestan en una cama alta con ruedas y un enfermero de bata blanca la empuja a través de un largo pasillo. Me gustaría sentarme, darme la vuelta y ver si viene mamá, pero me quedo acostado. La cama es llevada arriba y abajo en un ascensor. Los techos de los pasillos son blancos. Relucientemente blancos. Algo me presiona en el vientre, como si tuviera ahí una pesada piedra.

—Despacio —dice una enfermera gorda y me coge por debajo de los brazos, sujeta la pierna sana y así, entre los dos, me colocan en una cama de una habitación. Estoy todavía tan confuso que no veo bien la habitación, tampoco las otras camas ni a los niños. Sólo veo a mamá. Se sienta en mi cama, pero la enfermera le trae una silla. Después la enfermera gorda riega las plantas colocadas en el alféizar de las ventanas, a mi lado, y canturrea como una verdadera cantante. Me susurra: —Esperarás aquí al médico de América, ¿de acuerdo, Samir?

¿Por qué en voz tan baja? ¿Aquí no se puede hablar en voz alta? ¿Cómo me pueden dejar solo aquí? En el hospital, con los judíos. Quiero gritar, pero me siento adormecido por los reconocimientos y por los rayos X, y la rodilla arde como brasas de carbón. Mamá me mete unas manzanas en el cajón de la mesilla y noto cómo se estrecha la soga alrededor de mi cuello.

Ya no me acuerdo del momento cuando se fue mamá. Cerré los ojos y un silencio desconocido me envolvió lentamente. Caí en un sueño profundo. En el silencio, oí gritar a mi hermano mayor Bassam: «¡Mamá, abre la puerta!» y, por un momento, parece como si quisiera meter una gran caja, pero algo en su voz no es como de costumbre. «¡Mamá, abre la puerta!». Se abren puertas y se vuelven a cerrar. Se cierran las ventanas. Bassam y su amigo han metido a mi hermano Fadi, envuelto en una manta, y lo han colocado sobre la mesa. Y en una parte de la manta, hay una gran mancha de sangre. Mamá cierra las contraventanas, una tras otra, y oscurece al mundo entero para que no entre más luz por ninguna parte.

—¿Te gusta el pudding rojo de gelatina? —la enfermera gorda se inclina sobre mí y extiende una nube de esencia de perfume. Pone la bandeja con la comida sobre mi cama y me coloca bien la almohada.

—Samir, ¿sabes por qué tiembla así el pudding de gelatina? —me sorprende que me hable como a alguien a quien conoce— Tiembla porque tiene miedo de que lo comas enseguida.

—¿Has vuelto a meterlo de nuevo contigo en la cama? —pregunta a otro chico, en la cama frente a mí— ¿Qué vamos a hacer contigo, Zachi?—. El chico, que se llama Zachi, se sienta de golpe y le quita la bandeja.

—Sé bueno y sácalo de ahí —le dice la enfermera por segunda vez. Miro disimuladamente hacia él y veo que la colcha, a la altura de los pies, está abombada. ¿Qué oculta ahí? ¿Un gallo? ¿O un pequeño perro? Tiene aspecto de ser uno o dos años mayor que yo. De todas formas, tiene unas manos gigantescas.

—¿Has oído? —la enfermera no cede, pero Zachi come su sopa y hace ruidos extraños con la boca. Los otros niños se ríen.

—¿Por qué aquí sólo hay pasteles empolvados? —pregunta Zachi a la enfermera, animado por la risa de los demás. Coge un trozo de pastel de la bandeja y se lo muestra a todos—. Tan seco que se le atraganta a uno —desmenuza el pastel en la mano y se ríe.

—¿No quieres hacer una pausa, Jonathan? —le dice la enfermera al chico de la cama que está a mi lado. Está totalmente sumergido en su libro y parece como si no oyera nada. Ahora, cuando la enfermera coloca la bandeja delante de él, pone el lápiz entre las hojas y cierra el libro. Lleva un reloj grande en su muñeca, con muchos botones. El otro brazo está en una férula metálica. Ése no lo puede mover.

—Hay galaxias que se alejan de nosotros a una velocidad de doscientos millones de kilómetros —le dice a Zachi.

Quiero ver cómo reacciona Zachi, pero él, cuando la enfermera no mira, se coloca encima de la cama y salta como una cabra.

—*Sababa* —dice Zachi en árabe. ¿Por qué no dice sencillamente: «¿Todo okay?». Pero lo que él dice, de todas formas, no causa ninguna impresión en Jonathan. Él sorbe su sopa. Sus rubios cabellos cortos parecen plumón de pollo pequeño y, atrás, tiene una trenza delgada que le llega a la espalda. Sigue comiendo tranquilamente mientras Zachi salta haciendo crujir los muelles de su cama.

—¿Cómo te llamas? —me pregunta una chica pálida con un vendaje en la cabeza. Su cama está alejada, directamente al lado de la puerta. Estoy sorprendido de que se haya dirigido a mí.

—Se llama Samir —contesta la enfermera y Zachi se sienta inmediatamente.

—¡Samirrrrrr! —repite Zachi, bebe directamente la sopa de la taza y, mientras bebe, hace ruidos— ¡Se llama Samirrrrr!

Tampoco en la tienda de comestibles, donde trabajé por el verano, les había gustado mi nombre. El propietario de la tienda preguntó si no me podía llamar simplemente «Sumsum». Así llamaba al chico que había trabajado allí antes que yo: «Sumsum» es la palabra hebrea para «sésamo». ¿Por qué iba a molestarme? No era mi verdadero nombre. Sólo era mi nombre en la tienda de comestibles de los judíos.

—Yo me llamo Miki —dice la chica del vendaje, al otro extremo de la habitación. Quizá la llamen Miki porque es tan delgada y tiene un aspecto tan escuálido. En la cama contigua a la suya, está acostada una chica con rizos rubios y, sobre su cama, una larga fila de osos y muñecas están colocados sobre el alféizar de la ventana. Ella misma parece una muñeca. No dice ni una palabra.

Como tan rápidamente la carne de pollo de mi plato que apenas si noto el sabor. Han olvidado la sal, pero eso no me molesta gran cosa. Las patatas las han aplastado convirtiéndolas en una papilla, como para los bebés. Quizá por eso se terminaron tan pronto. También hay una salsa roja, y no sé qué hacer con ella, así que la bebo directamente del plato. Tengo un hambre que hasta se me mueven las orejas. He tragado todo antes de poderlo saborear y ahora hubiera preferido torta de pan para acompañar lo demás. La enfermera gorda pregunta si quiero repetir. No sé muy bien qué quiere decir, pero me trae una nueva ración, sólo que sin la salsa roja.

Todos comen. Sin embargo, la chica de los rizos rubios, que parece una muñeca, no toca su bandeja. Está acostada en la cama, mira hacia la ventana y no dice nada. Sólo acaricia su liebre de peluche como si fuera una niña, aunque tiene aspecto de tener doce años, si no más.

—¿Quieres que te traiga un yogur, Ludmila? —pregunta la enfermera Verdina— Tienes que comer algo —Ludmila no reacciona, como si Verdina fuera transparente—. Si no comes, tendremos que conectarte a un tubo —dice la enfermera.

¿Qué clase de tubo? ¿Tubos para regar?

Me lo pienso: Cuando la enfermera salga, quizá consiga llegar hasta la bandeja de Ludmila.

—Tu cuerpo necesita líquidos —dice la enfermera y lo intenta de nuevo—. ¿Quieres deshidratarte? —le hace una seña a Miki para que dé la sopa a Ludmila. Sin embargo, Ludmila no se mueve y no le acepta la sopa a Miki.

—Quiere ser amamantada. Como un bebé —dice Zachi.

—No es un bebé —indica la enfermera— y ella también sabe que su cuerpo necesita líquidos.

—Su cuerpo es un conjunto de moléculas complicadas y muy desarrolladas —anuncia Jonathan.

Por un momento, todos callan. Parece como si estuvieran metidos en sus pensamientos. Ludmila acaricia su peluche y yo pienso en la pequeña liebre de Fadi, mi pequeño hermano, la liebre que me dio el panadero por dos semanas de trabajo y por los restos de hojas que recogemos por las noches en el bazar. La pequeña liebre intuía que le pertenecía. Le seguía corriendo a todas partes.

La enfermera le quita la bandeja a Ludmila, la coloca sobre el carrito y sale. Me gustaría levantarme y correr detrás del carro para, al menos, no perder el olor a comida, pero no me atrevo.

Zachi saca de debajo de su manta un balón nuevo, bromea con él, le da una patada y va a parar debajo de las camas. —*Sababa* —dice de nuevo Zachi. Pienso en mi amigo Adnan, que ahora estará dándole patadas a su pelota por las callejuelas. Me gustaría saber quién se ha puesto de portero. Qué lejos están las polvorientas calles, la plaza y el bazar. Seguro que ya te han olvidado y también tu nombre, me digo a mí mismo. Me imagino cómo Adnan corre alejándose de los soldados, va como un rayo por las calles, entre toda la gente, dejándolos a todos atrás.

—¡Cógelo! —grita Zachi y lanza su balón. Va a caer directamente sobre mi rodilla rota. Me encojo de dolor, pero solamente tengo una cosa en la cabeza: ¡No gritar! La rodilla arde como un montón de cardos secos. Me tapo la cabeza con la manta.

3

—Buenos días, Samir. ¿Quieres ducharte? —pregunta la enfermera Verdina, tan cerca como si estuviera conmigo en la cama, envolviéndome con su perfume. Tiene siempre el aspecto como si terminara de salir de la casa de baños. Su bata siempre está blanca. Los zapatos son blancos, también los cordones. Pero no tengo ninguna gana de ducharme. Si por mí fuera, me quedaría sencillamente tumbado y no movería un dedo. Pienso cómo intenté darme la vuelta, por la noche, y no gritar de dolor a la vez. Si me dejara ahora un poco tranquilo... Pero la enfermera me pone de pie y me ofrece la muleta y así, cojeando, la sigo por el pasillo. Los niños todavía están adormecidos. Sólo Jonathan está ya sumergido en su libro. Da la impresión de estar totalmente despierto. Cuando pasa por delante de su cama, levanta la cabeza y mira.

El cuarto de baño parece nuevo, como si terminaran de construirlo. Las paredes están recubiertas de azulejos verdosos y brillantes. También el techo y el piso. En la pared, hay una pequeña hornacina con jabón, y en el jabón hay una chica pintada, que, en lugar de piernas, tiene una cola de pez. Un jabón nuevo, de un hermoso color azul. Todavía no lo ha utilizado nadie.

La enfermera quiere ayudarme a salir del pijama. Pero yo sujeto fuertemente el cordón y no lo suelto.

—¿De quién tienes miedo? —pregunta con una risa cantarina—Yo les he bajado los pantalones aquí a ministros y jefes de gobierno —y me baja rápidamente los pantalones, después recubre con plástico el vendaje para que no se moje. Estoy delante de ella, como una cigüeña, sobre una pata y no sé qué debo hacer.

¡Pero los calzoncillos me los dejo puestos! ¡Aunque me arranque la piel!

—¡Venga! —la enfermera me mete prisa y quiere quitármelos.

—¡No! —digo con una voz que resulta desconocida incluso para mí.

—¿Qué es eso de no? —se ríe. Si por lo menos no se riera. Gritar no sería tan malo. Su risa hace más daño que los golpes. Sujeto férreamente mis calzoncillos.

—¿Quieres que me vaya? —pregunta.

De tanta vergüenza, no consigo articular ni una palabra.

—Está bien —dice la enfermera—, pero también el cuello y detrás de las orejas —me tiende una esponja.

¿Qué se ha pensado? ¿Que soy un bebé? Por un momento, deseo que venga mamá con la esponja *Luffa* y me diga suavemente: «Vamos, Samir, yo te froto la espalda antes de que se vaya el agua».

Sale, por fin, la enfermera y comienzo a lavarme. La esponja es muy suave. No como Luffa. No estoy seguro de que una esponja así, pueda quitar realmente la suciedad. De tanto nerviosismo, solamente me froto la pierna sana, como si fuera lo único que ha quedado de todo mi cuerpo. ¿Quizá, al final, sólo me quede una pierna? He oído sobre casos parecidos, que no querían curar y hubo que amputar. Entonces, andaré toda la vida con muletas. Como el vendedor de tortas, que no tiene dinero para una prótesis. Nunca más podré correr, nunca más pasar por las callejuelas como una flecha ni sentir el viento en la cara. Me acostumbraré a estar sentado en casa. El que en estos tiempos no pueda correr, mejor se queda en casa. Ni pensar en el fútbol. Me imagino cojeando con las muletas por el bazar, bajando las amplias escaleras, pasando por delante de grupos de turistas, que me miran silenciosos. Piensan, seguro, que aquello es de un balazo. Que piensen lo que quieran. Yo callo. Me miran y yo sigo férreamente callado. Intento callar como un auténtico héroe.

La puerta se abre y la enfermera me trae una toalla.
—¿Por qué solamente una pierna? —protesta— Veo que tengo que ayudar.

—No...—consigo decir. Estoy como clavado en el suelo. No me muevo. Apenas si respiro.

—¿Quieres que venga el enfermero Félix? —pregunta y de pronto tiene una voz suave. Como si pudiera ver mi amputada pierna.

Debería haberle dicho inmediatamente que hoy no quería ducharme. Pero aquí todo es tan complicado. Resulta difícil decir sí y difícil decir no. Alguien golpea fuertemente en la puerta, como en el registro de una casa. Espero que entre atropelladamente, pero sólo abre un poco la puerta y mira hacia dentro, con una cara como la de una cabra riéndose. No tiene aspecto de soldado, este enfermero Félix. Con su roja nariz, más bien parece uno de esos que se ha escapado de una compañía de payasos. Le da jabón a la esponja y me la entrega. Me examina con ojos interrogantes y no da la impresión de que esta ducha sea algo importante para él. Sólo Alá sabe en qué piensa Félix mientras me enjabona la espalda.

Seguidamente, me envuelve en una toalla. No se da cuenta de que la pierna aún está llena de jabón. A mí tampoco me molesta eso. Me seca como si quisiera abrazarme y se ríe. Me pregunto: ¿Qué dirían tus amigos si te vieran ahora, qué diría tu padre, si vieran cómo se preocupan por ti como si fueran tu mamá?

Por las noches, papá se sienta en la cocina y no dice nada. Antes por las noches hacía las facturas de la peluquería. No porque hubiera tanto trabajo, dice papá. Nunca fue un gran negocio. Un pequeño salón de peluquería para hombres, al final del bazar. Una cosa con otra, dos sillas. Pero ahora, cada pocos días cierran las tiendas por la «situación». Una semana de trabajo ya no es una semana. Sin contar los gastos. Tampoco los impuestos, que suben constantemente. ¿Y quién va hoy a la peluquería? La gente se corta el pelo en casa, unos a otros.

La gente no tiene nada que hacer, cuando hay toque de queda, y se cortan el pelo unos a otros, dice papá. Ya no recuerda cuándo entró alguien por última vez a lavarse el pelo o a afeitarse. Yo voy a la cocina y me siento a su lado, pero él sigue callado. A veces, desde que Fadi ha muerto, pienso que también yo he dejado de estar allí para papá.

4

A la mañana siguiente vinieron tres médicos y reconocieron mi rodilla. La observaron desde todos los ángulos, también examinaron las radiografías y hablaron entre ellos. A mí no me dijeron nada. Al principio pensé que eran médicos americanos, porque hablaban en inglés entre ellos. Yo no entendía nada. Todo lo que sé de inglés es el comienzo de «Aladino y la lámpara maravillosa», que aprendimos hace dos años en la escuela. Dice así: ONCE THERE WAS A WIZARD. HE LIVED IN AFRICA. HE WENT TO CHINA TO GET A LAMP.

No llegamos a aprender la continuación de la historia. Nuestro profesor de inglés fue detenido y no volvió más.

Pero yo conservo esas tres frases. Las digo todas las noches antes de acostarme para no olvidarlas. Si olvidara esas tres frases, habría perdido todo mi inglés. A veces estoy cansado, medio dormido y no puedo más, pero también entonces me obligo a decirlas en silencio bajo la manta. Adnan dice que actúan como un remedio milagroso contra el mal de ojo. No es que yo crea en ello, pero nunca se sabe.

Los médicos me han puesto una férula en la rodilla y dicen que no puedo levantarme. Ya al final, vino Verdina y me explicó que el médico de América todavía no había llegado. Pero vendrá pronto y entonces me operarían. Estoy acostado, sin moverme y me sorprende lo rápido que pasan aquí las horas, tan tranquilas como si fuera no existiera el mundo, y dentro de poco traerán comida de nuevo.

Zachi alborotó por la habitación, como si no estuviera enfermo, hasta que llegaron Verdina y Félix, corrieron la cortina alrededor de su cama y le hicieron algo que yo no conseguí ver. Ayer vi algo, pero aun así, no sé qué es lo que le hacen. Vinieron varias veces al día a ver a Zachi y corrieron las cortinas tras ellos. Entonces, se hizo el silencio en la habitación. Incluso Jonathan cerró su libro y miró inquieto. Todos estaban acostados silenciosos y esperaban. Sólo Alá sabe qué. Y solamente cuando Félix salió con un recipiente recubierto con una toalla y Verdina descorrió las cortinas y sonrió a todos, como si no hubiera pasado nada, solamente entonces volvió la normalidad a la habitación. Después de eso, Jonathan metía sus pies en las zapatillas e iba al wáter. Todos lo miraban. Zachi, una vez que había pasado, tenía que hacer algo totalmente loco. O bien escupía en los tiestos de Verdina o se echaba la bata de Ludmila por encima de los hombros y paseaba, las manos en los bolsillos, por la habitación. Como el hijo de un pachá. Así dice siempre mi abuelo.

Pero no tuvimos mucho tiempo para mirar a Zachi. Entró Verdina y le dijo a Miki que su padre quería venir a verla.

Miki se levantó suavemente y comenzó a hacer su cama, alisó las sábanas, colocó bien la almohada y demás cosas y, cuando Verdina le dijo que no tenía por qué hacerlo ella, ya que también se le cambiaban las sábanas, no daba la impresión de que Miki le escuchara. Verdina habló más alto y la llamó por su nombre. Entonces Miki se sentó sobre su cama y se quedó sin moverse ni decir nada. De pronto, se levantó de un salto, tiró de las sábanas y arrojó la almohada al suelo, deshaciendo todo lo ordenado, se metió debajo de la cama y se quedó allí acurrucada, con la cabeza entre las rodillas, como si todo el peso del mundo cayera sobre ella. Y no se movió, pese a todo lo que se le dijo para que saliera.

Después de un rato, llegó Félix, que era siempre amable con todos. Todos exclamaron: —¡Félix, Félix, ven conmigo! —Sin embargo, Félix estaba ocupado sólo con Miki. Cuando vio que ella no le contestaba, se metió a rastras, sin decir nada, bajo la cama, donde ella estaba, y se quedó un rato allí.

Pero tampoco esto ayudó mucho. Sólo que Miki comenzó a llorar suavemente y cuando Félix sacó un globo del bolsillo y lo hinchó, tampoco se tranquilizó. Verdina miró por la habitación y le dijo a Félix: —Si llora, ya es un progreso—. Finalmente le prometió a Miki que su padre aplazaría la visita y Félix pudo convencerla para que saliera de debajo de la cama y continuara llorando en su cama.

Todos estaban acostados silenciosos y miraban hacia Miki. Yo esperaba que dejara de llorar. Ya me había acostumbrado a que aquí nadie corría ni gritaba, no había humo ni humareda y nuestra habitación era blanca, con una luz azulada de neón como en un invernadero, como el que había tenido mi tío hacía tiempo. Aquí se podía andar sin camisa en invierno y en verano, siempre sonaba desde alguna parte música de radio y había un árbol detrás de la ventana, donde se posaban los pájaros.

Tenía que ir con bastante urgencia al wáter, pero no sabía cómo ir hasta allí. Los médicos me habían prohibido levantarme, además me habían quitado mi muleta. Estaba allí acostado y esperaba y esperaba, y miraba hacia Ludmila, que acariciaba a su liebre. No comía nada y parecía una princesa, como la hija de un califa de

Bagdad. Seguro que el califa le daría la bandeja con su comida a aquel que la curara de su enfermedad.

Finalmente no pude aguantar más. Me bajé de la cama y fui apoyándome en la pierna sana. Había llegado hasta el pasillo cuando, de pronto, apareció Verdina delante de mí. Salida como de la nada. Me apoyó sobre su hombro y dijo que había tenido suerte de que no me hubiera visto ningún médico. Me llevó de nuevo a la habitación. Fue muy desagradable pasar, apoyado en ella y medio en sus brazos, por delante de la cama de Zachi. Pensaba todo el tiempo cómo se dice en hebreo cuando uno tiene que ir al wáter.

—Si tienes que ir al servicio, aprieta este botón —dijo Verdina mientras me tapaba y me remetía la manta debajo del colchón— y te traeremos la bacinilla.

Miré hacia la cama de Zachi, confié en que él no hubiera oído nada. Era lo que me faltaba, que Zachi me viera hacerlo en la bacinilla. Pero después de que hubiera pasado una hora, verdaderamente ya no pude más. Apreté el botón, cerré los ojos y esperé. Vino Félix con la bacinilla y corrió las cortinas alrededor de mi cama. Le hubiera besado el polvo de sus pies, como dice mi abuelo. E incluso cuando me ayudó a incorporarme y me dio la bacinilla, apenas si me avergoncé, pues él se sacó de su oreja -de verdad, de su oreja, puedo jurarlo por las barbas del profeta- un globo rojo, lo hinchó en unos segundos y lo colgó encima de mi cama.

Por la noche, tardé en dormirme. Los pensamientos corrían de un lado a otro, en lugar de hacerlo mis piernas. Quería acostarme sobre el otro lado, pues este lado me dolía ya e intenté darme la vuelta en dirección a la ventana, sin tener que mover demasiado la rodilla. Estaba sudando de tantas contorsiones de la cabeza y del cuerpo. Cuando, por fin, me hube dado la vuelta y pude ver la ventana, vi a Jonathan allí de pie. Se había subido a una silla y miraba, a través de la amplia ventana, hacia la negra noche. De pronto, se volvió hacia mí y dijo con voz clara: —¿Sabes que la Vía Láctea parece la columna vertebral de la noche?

No supe qué contestarle, tan sorprendido estaba de que me hubiera hablado, de que hubiera abierto simplemente la boca y me hubiera dicho algo. Solamente a mí. Mi espíritu se levantó y flotó por encima de mi cama. No entendí muy bien lo que él había dicho. Sólo sabía que tenía que ver con las estrellas. Ya que de ellas trataba su libro, con ilustraciones de toda clase de estrellas lejanas. Yo quería preguntarle algo, pero, ¿qué? Se pueden decir tantas cosas sobre las estrellas... Quizá incluso haya más preguntas que estrellas. Jonathan estaba allí y miraba silencioso hacia fuera, como si no esperara ninguna respuesta. Y mientras yo miraba hacia las estrellas con aquel niño, me quedé dormido. Hacía tiempo que no había visto ninguna estrella. En mi aldea, nadie sale de noche y si sales, jamás se te ocurriría mirar hacia el cielo. Aquí había estrellas. Ellas te miran desde la noche y si cierras los ojos, sigues viéndolas volando cada vez más cerca hasta que caen sobre ti.

5

Por la mañana, me despertó la sirena de un coche de la policía y quise tirarme de un salto de la cama. Sin embargo, la pierna, con la pesada férula que me habían colocado, me retuvo. Me recordó que estaba en el hospital, con los judíos, y que esperaba a un médico de América, que debía operarme, que estaba en un lugar donde comía tres comidas al día, que me traían directamente a la cama en una bandeja.

El sonido de las sirenas procedía de la radio, en alguna parte del pasillo. Inmediatamente alguien cambió de emisora y volvió la suave, envolvente música que siempre sonaba. Aceché hacia la cama de Jonathan. Estaba acostado, sumergido en un libro. Tosí, pero él no se dio la vuelta. Por un momento, pensé que había soñado lo que me había dicho por la noche, cuando solamente estábamos despiertos nosotros dos. Él hacía como si no hubiera sucedido nada.

Cuando trajo Verdina el desayuno, le cogió la bandeja sin fijarse en ella y preguntó: —¿Sabes por qué la Tierra es redonda?

—¿Por qué? —preguntó Verdina.

—Porque está girando constantemente y por eso es aplastada y de forma circular.

—Interesante —dijo Verdina—. ¿Harías el favor de tomarte hoy el huevo del desayuno?

En caso de que él no quisiera su huevo, pensé para mí, podría ayudarle, pero ya estaba quitando la cáscara sin darse cuenta y comió el huevo totalmente desinteresado, todo el tiempo con la nariz metida en su libro.

Yo devoré mi desayuno demasiado rápido como para poder saborearlo algo y no tenía otra cosa que hacer que esperar a la próxima comida. Me tapé la cabeza con la manta porque me ponía nervioso ver cómo la bandeja de Ludmila estaba allí hasta que la comida se echaba a perder.

Bajo la manta, siempre tengo que pensar en Fadi. Eso comenzó ya el último año. En invierno, poco después de la muerte de Fadi. Fuera se había levantado un viento frío. Vi cómo se hinchaban las palomas en el árbol de nuestro vecino, entre las hojas, y me imaginé que la lluvia llegaba hasta Fadi a través de la fría tierra. Eso sucedió de nuevo en primavera. Nuestro patio estaba totalmente lleno de fango. El sol todavía no ha secado los charcos. Sí, ese pensamiento en Fadi me venía siempre con el cambio de las estaciones. Para ahuyentarlo rápidamente, decía en voz baja mi oración de la mañana. Además, como milagroso remedio contra el mal de ojo, ayuda: *Once there was a wizard. He lived in Africa. He went to China, to get a lamp.* Sin embargo, mientras rezaba mi oración, noté que esta vez no ayudaba y que mi cuerpo se hacía cada vez más pesado; solamente confiaba en que viniera alguien antes de la próxima comida, para que el tiempo pasara más rápidamente.

A veces, un hombre pasa por el pasillo con un gorrito, como el que llevan los judíos devotos en la cabeza. Lleva puesto un pijama blanco y tiene una barriga nada pequeña. Canta una canción hebrea con acento europeo y suena algo así: *Jibbane bejes hamikdosh, bimhiro bejomejnu* (Que el templo sea pronto reconstruido, todavía en nuestros días). Canta con mucho sentimiento y, al hacerlo, alarga las sílabas. A veces también entra en nuestra habitación número seis, da unos pasos hasta la ventana, se da la vuelta y se va cantando de una cama a otra. Se queda parado unos segundos delante de cada una. Yo no sé qué debo hacer si se para delante de mi cama. En realidad, tiene una bonita voz, pero no sé qué es lo que hace aquí, si es que quiere decirme algo con su canto, si tengo que contestar y si va así por todas las habitaciones. Los otros no se sorprenden. Apenas si miran hacia él. Como si fuera un enfermero cualquiera que viene a comprobar la temperatura.

Ayer vino la hermana de Zachi en zapatos de tacón alto. Trajo un bolso repleto de pequeñas bolsas con cacahuetes y golosinas. Fue de una cama a otra y ofreció algo a todos los niños. También a mí. Cuando me ofreció una bolsa, vi sus uñas rojas y quise coger un puñado de cacahuetes, pero de pronto, sin pensarlo, dije que no. Quizá me avergonzaba. Pero verdaderamente no quería. ¿Para qué? Yo quería que viniera mi madre y me trajera un pastel de *maamul* relleno y barritas de sésamo como las que comíamos cuando todavía éramos pequeños. Aunque, en realidad, también eso daba lo mismo. Que no me trajera nada. Solamente debía venir, sin nada. Que viniera, simplemente. Apenas podía imaginarme que mi padre me visitara, ni siquiera en sueños.

Pensaba y comencé a atraparme en mis pensamientos. Me dije: Si en lugar de mí, estuviera aquí Fadi, seguro que vendría papá. Y también hablaría. Antes, papá a veces hablaba, entonces, antes de que comenzara con su silencio. Me contaba de su viejo Volkswagen, cuando todavía andaba. Conversaciones con frases cortas. Y sólo nosotros dos. Me contaba de su preocupación por el coche, si devoraba aceite o no y si conseguiría pasar otra vez la ITV. Ahora está acribillado a balazos en la plaza vacía. Algunos pensaron que pertenecía a un denunciante y lo convirtieron en chatarra. Papá desmontó el motor para poder venderlo por unos centavos. Sólo queda la carrocería, como el gigantesco cuerpo de un insecto innecesario. Los niños pequeños se meten dentro e imaginan que hacen un largo viaje.

Ayer también vi al padre de Jonathan: alto, con rizos hasta la espalda. Al principio, pensé que sería la hermana de Jonathan. Se sentó con Jonathan en la cama y habló con él en voz baja. Jonathan le hizo preguntas relacionadas con el libro y su padre se las aclaraba, casi en un susurro, mientras Zachi saltaba y se burlaba: «¡El padre de Jonathan trabaja en las estrellas!». Yo sería feliz si mi padre trabajara en las estrellas o algo parecido. Estrellas había siempre. También en los tiempos malos. Esas no desaparecen sencillamente cuando hay toque de queda.

Así me hacía mis pensamientos. Después me puse a pensar en mi familia, en uno tras otro. Abuelo pasaba todo el día sentado en el ancho alféizar de la ventana y fumaba, y mamá decía que, a causa de los cigarros, se había encogido totalmente. Bassam se había ido a trabajar a Kuwait, de él no sabíamos nada. De pronto, tuve la sensación de que podía aguantar mejor a mi hermana Navar, pese a que ella me había pegado cuando miré, a escondidas, dentro del paño en el que guardaba los rizos del joven de Belén, del que afirmaba que era un mártir. Yo mismo me sorprendía de lo que me sucedía cuando, después de estar unos días alejado de casa, comenzaba a pensar bien sobre mi hermana.

Esta mañana temprano vino una mujer a visitar a Miki. No era su madre, pero tampoco su hermana. La mujer corrió las cortinas de la cama de Miki y nosotros permanecíamos callados en nuestras propias camas. También Zachi dejó de armar jaleo, se había sentado sobre su cama haciendo muecas. Incluso dejó de hacerlas cuando, después de un rato de conversación, averiguamos lo que le sucedía a Miki. Se nos quitó el habla: El padre de Miki bebía a veces *arak* por las noches, y una noche, después de haber bebido, había golpeado a Miki en la cabeza, allí donde hasta hoy tenía la herida. Pero ahora, dijo la mujer, el padre quería poder visitar a su hija y le rogaba que creyera que aquella noche no sabía lo que hacía.

Oímos hablar a la mujer detrás de las cortinas. A Miki no la oímos. Después la mujer se calló un rato y, finalmente, dijo que el padre esperaría pacientemente hasta que Miki aceptara que él la visitara. Hasta entonces, ella podía estar tan furiosa como quisiera contra su padre. Silencio. Los niños tampoco hablaban. A mí me sorprendía que un padre necesitara una autorización de su hija para visitarla, pero tampoco dije nada. La mujer descorrió las cortinas y se marchó. Cuando llegó el té de las diez y, como cada día, Miki le ofreció la taza a Ludmila, de pronto Ludmila se sentó y bebió té. Incluso comió las galletas que lo acompañaban.

Yo miré durante todo el día hacia Jonathan, pero él no se dio por enterado. Seguía leyendo su libro y hacía cálculos con su reloj, que era, a la vez, una pequeña calculadora. Solamente por la noche, cuando yo ya no me lo esperaba, sucedió de nuevo algo. Yo estaba medio dormido. Me había quedado sólo una galleta de la cena, que chupaba en silencio, con la esperanza de que así durara eternamente. Todos los demás niños dormían ya. Félix tenía el servicio de noche e iba con su linterna entre nuestras camas y comprobaba si estábamos bien. Le pregunté si nos contaba como en la cárcel. Yo sabía, por mi hermano Bassam, que allí cuentan a la gente antes de irse a dormir para estar seguros de que no se les ha escapado ninguno. Pero Félix dijo que él sólo iba a través de las camas para ver si todos estaban dormidos y se encontraban bien. Sucedió después de que apagó la luz: Jonathan me habló desde la oscuridad. No podía ver su rostro, pero su voz era clara: —¿Vienes conmigo al planeta Marte? —de verdad, sencillamente así. Como Adnan me pregunta a veces «¿Vienes conmigo a recoger colillas de Malboro?»

Me sentí totalmente mareado. No supe qué debía decir.

—Yo, yo no puedo andar —tartamudeé.

—Lo sé —contestó Jonathan.

Confiaba en que no me tomara ahora por un cobarde. Quizá yo tuviera aspecto de un cobarde. Por lo menos, eso decía Adnan y sus colegas. Pero no soy ningún cobarde. Eso sólo fue cuando pasó lo de Fadi, porque mamá ya no me dejaba salir por las noches al bazar y a la plaza, y papá candaba la casa detrás de mí en cuanto se ponía el sol. Me dicen que soy una liebre asustada, pero me digo que una liebre no es miedosa ni tampoco valiente. Todo lo que tiene es su velocidad. No tiene ni garras ni uñas afiladas. Por eso, sale corriendo. Eso es todo. No sé por qué, de pronto, aquello era tan importante para mí, pero aquel pollito no debía pensar que yo tuviera miedo de ir con él a un largo viaje a Alá sabe dónde.

—Tenemos que esperar a la operación —dijo Jonathan, como si lo llevara pensando desde hacía tiempo.

—Sí —salió de mí. No sabía lo que decía exactamente.

—Sí —repitió Jonathan. Ahora vi que estaba sentado sobre su cama y había estado mirando todo el rato hacia mí.

—Hasta después de la operación —dijo con voz clara, como si esperara conmigo a que sucediera.

6

Hoy se fue la luz después de la cena. Una débil luz alumbraba el pasillo, pero nuestra habitación se encontraba a oscuras y todos callaban. Todavía un minuto antes, Zachi había estado alborotando con su pelota por la habitación. Sin embargo, ahora estaba como paralizado; se le fue rodando el balón y quedó parado debajo de una de las camas.

Ya hacía tiempo que me había acostumbrado a que, de golpe, se hiciera la oscuridad. En nuestra aldea, hay continuos cortes de luz. La mayoría precisamente cuando hay toque de queda. No sé por qué. Precisamente cuando todos están sentados en sus casas y tienen puesta la televisión, se hace, de pronto, la oscuridad, que se añade al inquietante silencio de las calles. Entonces, cada uno está aún más solo con sus pensamientos. Veo cómo resplandece el cigarrillo del abuelo y se apaga de nuevo. Pero esa diferencia no existe para mi abuelo. Para él, siempre impera la oscuridad.

De pronto, Jonathan comienza a hablar. Habla muy rápido. Como si la oscuridad fuera su posibilidad, su única posibilidad:

—Figuraos que contamos todos los granos de arena de la Tierra —comienza.

—¿Para qué? —pregunta Miki.

—Si comenzáramos a contarlos, aunque eso es imposible, quizá entonces comprenderíamos cuántas estrellas hay en el universo, ya que hay muchas más estrellas que granos de arena en la Tierra.

Todos callan. Solamente Zachi se levanta y dice irónicamente: —¿Cómo lo sabes? ¡Tú no las has contado!

Lo siento por Jonathan ya que ese Zachi es, a veces, más tonto que mis zapatos. Pero no digo nada. Jonathan continúa, como si pensara para sí: Los perros ladran, por lo tanto, la caravana pasa. Se eleva a una lejana estrella y habla de seres vivos que, así lo cree él, viven allí. Describe mundos lejanos de los que nadie había oído jamás: Mundos de hielo y gases, de rocas y polvo rojo y de negros océanos. Mundos rodeados por maravillosos anillos, que brillan como piedras preciosas. Todos esos mundos, dice Jonathan, sólo nos esperan a nosotros. Sólo a nosotros.

Me gustaría creerle, pero no es tan fácil. Mi amigo Adnan también cuenta historias fabulosas y sólo al final me doy cuenta de que se las ha inventado.

Así una vez me contó que el mudo vendedor de pollos tenía escondida una pistola debajo de la caja sobre la que siempre está sentado. Sólo tendríamos que pasar a su lado cuando estuviera ocupado con un cliente, levantar la caja, coger la pistola y echar a correr. El mudo ni siquiera podría gritar pidiendo ayuda.

Así pasamos medio día acechando al mudo vendedor de pollos, que nos miraba desconfiado y observaba cada uno de nuestros movimientos, ya que quizá fuera mudo pero no ciego. No nos perdió de vista durante todas aquellas horas. Después llegó un amigo suyo, un hombre como un armario de grande, y se sentó con él y el mudo le hizo café y ya no le dejó que se marchara. Debido a nosotros, seguro. Para demostrarnos que él no era tonto. Que no pensáramos que podíamos engañarlo. Noté que Adnan quería largarse, pero no sabía cómo hacerlo. Finalmente, el mudo levantó la caja, como si lo hiciera por nosotros (juraría por mi padre que lo hizo pensando en nosotros) y le enseñó a su amigo, el armario, unos polluelos que guardaba allí.

Sin embargo, los niños de la habitación no parece que crean las historias de Jonathan. Callan durante un buen rato. Quizá cada uno piensa qué posibilidades tendría de llegar a una de esas estrellas. De todas formas, en el aire había una seriedad como si los tiempos de hacer tonterías hubieran pasado, como si se estuviera tratando de cosas serías. También quizá se deba a la oscuridad, porque de pronto oigo a Zachi:

—Mi problema es que no puedo hacer pis. Por eso me han puesto un tubo. Va a una bolsa de plástico y cuando la bolsa está llena, la vacían. Eso es. Eso es todo. Hasta que vuelva a estar bien.

Pensé que los niños estarían con la boca abierta, al enterarse de una enfermedad de la que jamás en tu vida habías oído. Pero a Jonathan algo así no lo saca de su tranquilidad, ni siquiera por un momento, y, con el mismo tono con el que habla de sus estrellas, como si fuera un médico con bata blanca, explica: —Pero eso es sólo hasta que puedas volver a hacer pis.

Y Zachi dice: —Sí, eso es —suena como si se hubiera liberado de un gran peso.

—Si queréis os enseño la bolsa donde va a parar el pis.

Jonathan y Miki corren descalzos hacia la cama de Zachi, se sientan a su lado y les oigo susurrar y reírse. Después Zachi se va hasta la cama de Ludmila y le dice: —Si quieres, puedes tocar.

No veo lo que hace Ludmila, pero Zachi pregunta con mucha paciencia: —¿Quieres todavía un poco más? —y ella dice con una voz muy débil: —Suficiente. —Es la primera palabra que sale de su boca. Después oigo cómo Jonathan le susurra algo a Zachi:

—Samir todavía no la ha tocado.

—Bueno, ¿y qué? —dice Zachi.

Y Jonathan en voz muy baja: —Ahora le toca a él.

Zachi no contesta, se pone encima de su cama y salta sobre ella.

Jonathan insiste y pregunta: —¿Por qué él no? —pero Zachi sigue brincando. Y yo, de pronto, como un burro, quiero tocar su bolsa.

Por la noche, he soñado que Ludmila, como una princesa, está sentada en un trono. Pero su padre, el califa, se pone furioso por su silencio y la golpea en la frente. Vienen soldados, detienen a Ludmila y la llevan para interrogarla. Pero ella no dice nada y no traiciona a su padre. El califa comprende que su hija es una heroína y le pide perdón.

7

Ya muy de mañana, antes de medir la temperatura y antes de que Verdina venga con el desayuno, están corridas las cortinas alrededor de la cama de Zachi y los niños se bajan de sus camas y van a ver la bolsa. Y también a tocarla. Finalmente, Zachi les deja pasar al otro lado de las cortinas, pero siempre de uno en uno. Nunca dos juntos. Les oigo susurrar y reír detrás de las cortinas, siempre en voz baja. El que está fuera, delante de las cortinas, espera pacientemente. El que está dentro quiere quedarse más rato. Oigo a Zachi:

—Suficiente Miki. Suficiente. Ahora vete. Fuera todavía hay otros niños que también quieren entrar.

—Si viene mi padre a verme y me trae cacahuetes salados, te daré algunos —dice Miki. Lo intenta con todos los medios.

—Está bien —dice Zachi—, pero ahora sal.

Sólo a Ludmila no le mete prisa. Le permite quedarse todo el tiempo que ella quiera. Pero ella no quiere quedarse mucho tiempo. Termina de entrar y dice, con la voz de una princesa que está a punto de desmayarse, que quiere salir.

Zachi intenta convencerla de que se quede todavía un poco y le ruega: —Si terminas de entrar...

—Suficiente —dice Ludmila. Sale y se va a su cama, la orgullosa hija de un pachá. Esta Ludmila todavía le va a romper el corazón a Zachi.

También el personal de aquí se preocupa mucho de ella. No hay ninguna comida en la que Verdina no se siente en su cama, coja un yogur y se lo coma junto a Ludmila, para ayudarla a tragar. —Una cucharadita más —dice Verdina, introduce la cuchara en la boca y espera a que Ludmila haga lo mismo—, y una última...— Pero Ludmila dice en voz baja: —No tengo hambre.

—Es lo mismo —dice Verdina—.Tú ahora no comes para ti, sino para mí.

Nunca he visto algo así. Y eso que la chica tiene, por lo menos, doce años. Y todo el tiempo se lo pasa acariciando su liebre de peluche.

Jonathan hace muchas preguntas cuando Zachi le deja entrar tras las cortinas. Creo que prefiere preguntar a tocar. Como un médico, se informa y calcula todas las cifras imaginables hasta que a Zachi le resulta demasiado y le amenaza con no volverlo a dejar pasar al otro lado de las cortinas.

Esta noche, por primera vez desde que estoy aquí, he hablado con Jonathan. Como cada noche antes de dormirse, estaba de pie sobre la silla, delante de la ventana y contemplaba las estrellas. Durante un largo rato, no me atreví a molestarle. Me resultaba desagradable preguntarle algo que no estuviera relacionado con las estrellas. Pensé que no le gustaría. Y cada vez que yo abría la boca, no salía ni una sola palabra.

Aquí en el hospital de los judíos, casi nunca hablo. A pesar de que entiendo bien el hebreo desde que trabajé en la tienda de comestibles. El que me vea aquí, pensará que soy un chico especialmente callado.

Después de la muerte de Fadi, no quería volver a hablar. Me senté en el hueco de la ventana y escuché los lamentos de las tías y pensaba: «Me quedaré aquí sentado, no me moveré de mi sitio y nunca más diré una sola palabra. Ya pueden venir a intentar convencerme de que me levante. Es lo mismo que me rueguen. Nadie me moverá de aquí. No volveré a hablar. Continuaré sentado en el alféizar de la ventana, como un saco de harina. No puedo dejar la ventana, ya que si me levantara, sería como una señal de que el mundo ya ha olvidado la muerte de Fadi». Pasé allí toda la noche y por la mañana apenas si sentía mis extremidades. Si alguien me hubiera dado un pequeño empujón con el meñique, me hubiera caído como un saco. Tampoco fui al entierro. Sólo cuando mamá regresó al mediodía y me miró de esa manera, comprendí que tenía que levantarme.

De pronto, no sé por qué le pregunto a Jonathan por qué no venía a verlo su madre. Primero se calla. Después, sin mirarme, responde:

—Mi madre no vive con nosotros —dice— . Reside en los Estados Unidos.

No lo dice como si hubiera que compadecerlo, aunque ni siquiera tiene hermanos. Pero no suena triste. Ahora comprendo por qué su padre se ha dejado crecer el pelo tan largo. Quizá para ser un poco madre para Jonathan.

—¿Y por qué no viene nadie a verte a ti? —pregunta Jonathan.

—Vivimos muy lejos de aquí —digo. De ninguna forma, puedo pensar que me han olvidado. Ahora busco todas las disculpas posibles para mis padres: —Papá tiene que tener abierta su peluquería hasta muy tarde. Por si alguien va a cortarse el pelo al atardecer, después del trabajo.

—¿Y tu madre?

—Mamá limpia el despacho de un abogado en la ciudad. Y si no está demasiado cansada, después hace el turno de noche en una panadería.

—Entonces, por las mañanas llevará un pan reciente —dice Jonathan.

—No. Tortas —digo—. En una ocasión, me trajo una rosca de sésamo.

—Seguro que recién sacada del horno —dice Jonathan.

—Sí.

—Apuesto a que esa rosca de sésamo que te trajo tu madre era lo más reciente que en ese momento había en el mundo.

Jonathan quería seguir hablando de mi madre. He notado inmediatamente que no le gusta tanto hablar de su madre. Prefiere hacerlo de su padre. De cómo va a todas partes con su bicicleta y cómo se sujeta las perneras con una goma para evitar el roce con la cadena. Y cuando está en el trabajo, con la misma goma se hace una especie de coleta.

El padre de Jonathan da clases sobre las estrellas. Pero no para niños. A sus clases acuden adultos y a ellos les enseña las estrellas y les explica todo lo imaginable. Ése es su trabajo.

Lo mismo que alguien lava platos en un restaurante o amasa tortas en una panadería, o corta el pelo a sus clientes en un salón de peluquería, así el padre de Jonathan va todas las mañanas a explicarle a la gente lo que sucede en el cielo. Incluso le pagan por ello.

8

Me despierto por la mañana porque Zachi corre por la habitación y grita continuamente —¡*Split* de chocolate!

Hay dos chicas rubias en la habitación. Una de ellas tiene trenzas; se llama Ingrid. La otra también se llama Ingrid. Ingrid y la otra Ingrid no saben ni hebreo ni árabe. Hablan con nosotros en noruego y sonríen todo el tiempo. En un carrito, han traído a nuestra habitación una pequeña fuente para amasar, una cazuela y unos cuencos con pepitas marrones que yo no había visto nunca.

Ingrid derrite chocolate en la cazuela y la segunda Ingrid invita a los niños a remover el chocolate. Zachi se levanta de un salto y es el primero en hacerlo. Coge la cuchara de madera y remueve como un salvaje. Ingrid le indica que no se hace así. Le muestra cómo hacerlo: con movimientos circulares. Ahora hay que echar margarina en la cazuela. Inmediatamente Zachi corta un trozo, pero Ingrid quiere que sea otro niño el que eche la margarina en el chocolate y pregunta a Miki.

Miki deja que resbale la margarina en el chocolate y remueve. Mientras tanto, Ingrid intenta convencer a Jonathan para que deje su libro, pero no da la impresión de que él la tenga en cuenta, tan sumergido que está en su libro. Ingrid e Ingrid empujan el carrito hasta la cama de Jonathan, para que no necesite levantarse, pero

Jonathan se introduce en su libro como un gusano en una manzana. Así que continúan hasta Ludmila, mientras intentan tranquilizar a Zachi, que baila, con una cuchara en la mano, alrededor de la cazuela y salpica de chocolate.

Ludmila debe echar las pepitas en el chocolate. Se yergue al final de su cama y mira las pepitas con ojos agrandados. Sus ojos son azules como el cielo en un día claro. Se ve que le gustaría, pero alguien le ha prohibido relacionarse con la comida. Alguien la ha embrujado. Me acurruco debajo de la manta y digo mis tres frases contra el mal de ojo. Silencio. Cierro y vuelvo a abrir los ojos. Entonces veo cómo Ludmila echa las pepitas en el chocolate, como si realizara un rito sagrado. Su lengua asoma entre los labios, mientras echa las pepitas al chocolate. Es, verdaderamente, un milagro. Ludmila se levanta y va detrás de las dos Ingrid y del carrito. Ahora también ella se acerca a mi cama.

Me dan un montón de pequeños moldes de papel y me enseñan a separarlos unos de otros. Los separo con cuidado, los coloco sobre la bandeja y Ludmila vierte en cada molde las pepitas bañadas en chocolate. Yo le tiendo un molde y Ludmila lo llena. También lo hacemos con los siguientes. Coloco en fila los moldes de papel y Ludmila echa en ellos las pepitas de chocolate, con mucho cuidado para que no caigan fuera. Jamás en mi vida había hecho algo tan bonito: Cocino con la princesa Ludmila, después de haberla liberado del maligno embrujo que se había apoderado de ella. Sus ojos son azules y serenos como el mar, que todavía no he visto. Y todo eso en el hospital, con los judíos.

La pequeña liebre de Fadi tenía los ojos rojos. Cuando murió, sus ojos quedaron abiertos y se volvieron violeta. Fadi dijo que había muerto a causa de los gases lacrimógenos. Pero la cabra que nuestro vecino tiene en la terraza del tejado, no murió y sus ojos siguen siendo marrones, incluso después de que cayeran granadas de gas a su lado. Quizá las cabras estén endurecidas contra los gases lacrimógenos, dijo Fadi, quizá, incluso, porque tienen leche en el cuerpo. Eso las debe ayudar. Desde entonces, yo quería que mamá me diera leche todos los días. Pero nunca había suficiente. Así que nos introducíamos, sin que nadie nos viera, en la terraza del vecino para beber algo de leche de la cabra. No sabíamos de quién debíamos tener más miedo, si del vecino o de los soldados, que podían llegar en cualquier momento por las callejuelas y descubrir movimientos sospechosos en el tejado.

Estoy sentado en la cama y como *split* de chocolate, después de que Ingrid e Ingrid lo metieran en el frigorífico durante horas. Estalla en mi boca y es un ruido agradable. Viene a mi mente la tableta de chocolate que en una ocasión Bassam trajo para Fadi y para mí. Durante un buen rato, no la tocamos hasta que Fadi propuso que la enterráramos junto a la liebre para que no se sintiera tan sola.

Es una lástima que yo no enterrara nada en la tumba de Fadi. Si yo hubiera muerto, seguro que Fadi no se habría olvidado de darme algo, estoy seguro.

Por las noches, a veces despierto de un sueño con un grito. Entonces Verdina me trae un líquido para dormir. Después de tomarlo, también te da un vaso de zumo de frambuesa, para que desaparezca el sabor. Ese zumo de frambuesa ahuyenta en mí todos los malos sueños. Cuando esté de nuevo en casa, se lo contaré a mi abuelo. Él también tiene que tomar todas las noches zumo de frambuesa cuando no pueda dormir. Bebo el zumo de frambuesa y miro a Verdina, que está a mi lado y espera hasta que lo haya bebido todo. Me gustaría preguntarle cuándo vendrá a visitarme alguien, pero no sé si se puede preguntar a Verdina algo así.

9

Ya no sé cómo nos dormimos, sólo sé que, por la mañana me despertó el ruido que hacía Zachi al masticar caramelos que le había traído su hermana. Masticaba con un ruido estrepitoso y, al hacerlo, explicaba: —Son ácidos, los de limón y el de naranja y mandarina. Y éstos son *toffes*, de fresa, frambuesa, cereza. Éste es de menta, para el aliento fresco. Como el que meto ahora en la boca. ¡Brr, nieve y granizo!

Estábamos sentados en las camas, mirábamos a Zachi y escuchábamos los sonidos que salían de su boca. No faltaba mucho para que también sintiéramos los sabores de los caramelos en nuestras bocas. —¿A quién le gusta el regaliz? —pregunta Zachi, pero no espera a nuestra respuesta. Coge un alargado caramelo marrón y se lo mete en la boca. Chupa un rato y, de pronto, abre la boca delante de todos. Dentro, parece como si fuera un horno en el que se hubieran hecho tortas durante todo el día. Zachi se ríe y sus dientes relucen como fuego.

Zachi dice: —*¡Sababa!* —y nosotros permanecemos allí como embrujados, no nos movemos y apenas si respiramos. Cada uno confía en que Zachi le tire un caramelo, pero no lo hace. Está sentado, mastica ruidosamente sus caramelos y se ríe. Así que observamos cómo se relame y cómo sus dientes van triturando un caramelo tras otro hasta comérselos todos. Sólo queda uno, que lo pone sobre su mesilla. Después hincha la vacía bolsa de papel y golpea el puño contra ella. La bolsa revienta con un fuerte estampido.

De pronto, Ludmila se levanta. Se calza sus zapatillas de punto y yo podría jurar que sólo una princesa Sherezade o alguien parecido tiene esas zapatillas. Zapatillas blancas, adornadas con cintas de plata. Quizá también el califa de Bagdad haya mandado tejer unas así para su hija. Ludmila va a la cama de Zachi, se acerca totalmente a él y no dice nada. Sólo saca la lengua y Zachi coge el último caramelo —no sé si es con sabor a limón, de frambuesa o de mentol fresco—, lo saca del envoltorio con habilidad, tirando el papel al suelo. Ya el solo ruido del papelito al caer me pone la carne de gallina. El caramelo tiene muchos y diferentes colores: por fuera, naranja y por dentro, círculos verdes y amarillos, como la pulpa de una fruta desconocida. Nunca había visto un caramelo así. Zachi se lo pone a Ludmila en la lengua y los dos se ríen. En secreto temo que mi magia ya no tenga ninguna fuerza sobre Ludmila.

Por la noche, esperé a Jonathan, pero él no se levantó. Desde mi cama, oigo su respiración y supe que se había dormido. Acostado en mi cama, miré a través del amplio ventanal y busqué las estrellas. Sin embargo, el cielo estaba nublado, como si colgara una manta sucia delante de las estrellas, y no se podía ver nada.

De pronto, oigo a Zachi. Se levanta y camina descalzo por la habitación. Intento no moverme y aguzo el oído. Pero Zachi ya ha escuchado un ruido procedente de mi dirección, se acerca, se detiene delante de mi cama y me mira. Mantengo los ojos cerrados e intento no respirar. Yo no sé por qué tengo miedo de mirarlo a los ojos. Pero Zachi sabe que estoy despierto. Le oigo reír:
—Sé que no duermes, Samirrrrrrrr.

Abro los ojos y lo miro.

—¿Sabes? Mi hermano es soldado —dice.

¿Qué debo contestarle?

Lo dice muy serio. Su sonrisa irónica ha desaparecido de su cara. Es una sensación desagradable porque Zachi está frente a mí y no se mueve, como si quisiera decir: «Venga, muéstrame de lo que eres capaz». Digo para mí mis frases mágicas. Zachi me mira todavía unos segundos, después se da la vuelta y regresa a su cama. Estoy acostado, sin moverme. Escucho mi respiración. No temo tanto por lo que él ha dicho sobre su hermano. Mucho peor me resulta su voz al decirlo en la oscuridad y que, de pronto, los dos estemos solos en la habitación. Intento imaginarme al hermano de Zachi y veo a un soldado alto de uniforme. Su cabeza incrustada en un casco. No se le puede ver la cara. Desde que sucedió lo de Fadi, ya no le digo al abuelo cuándo veo soldados. Tampoco si sólo están en la televisión. Entonces, sencillamente, no sigo contando lo que se ve. Aunque sea en un país muy lejano. Hago frases cortas y digo lo menos posible para que no se excite. Mi abuelo se excita al menor disparo y da lo mismo que suene en la casa de al lado o en Africa.

—Oigo disparos —dice el abuelo y se acerca al televisor para oír mejor—. ¿De dónde vienen?

—De muy lejos —digo yo—, de Africa o algo así.

—¿De Sudáfrica?

—De muy lejos, abuelo.

—Cuéntame qué sucede.

—Una lucha entre negros y blancos.

—¿Son los blancos los que disparan? ¡Que Alá los castigue!

—Es difícil ver quién dispara en estos instantes —digo e intento calmarlo.

Pero el abuelo va inquieto de un lado a otro, delante del televisor y mamá me hace una seña para que me esfuerce más.

—Se están separando —verdaderamente, me esfuerzo.

—¿Quién se separa? —el abuelo se pone furioso— ¿Ambos? ¿Los blancos y los negros? ¿Es que se ponen en parejas y se separan pacíficamente? ¿Por qué oigo disparos entonces?

—Todos regresan a... sus casas —tartamudeo, pero el abuelo ya está sentado en el alféizar de la ventana y se mesa los cabellos. Ahora encenderá un cigarrillo tras otro durante el resto de la tarde y, al final, se encogerá de tanto humo, como dice mamá.

Papá dice que el abuelo ya no tiene ningún amigo. Una parte han muerto, otros se han vuelto demasiado religiosos. Y entre los que todavía quedan, no hay ninguno al que el abuelo, en su ira, no haya llamado alguna vez burro diplomado.

—Si nadas contra la corriente —le dice papá al abuelo—, entonces las olas te golpean en la cara.

—Y si nadas a favor de la corriente, te hundes —le contesta el abuelo.

Yo no entiendo cómo, de repente, los dos hablan entre sí como viejos pescadores.

10

Zachi gritó —¡Llegan los paracaidistas!

Desperté por la mañana. Allí estaba Zachi encima de su cama y miraba hacia mí. Era como si llevara allí un rato esperando a que yo me despertara. —¡Llegan los paracaidistas! —rugió una vez más; con esa frase, saltó de la cama y se puso a alborotar por la habitación. En mi mesilla, estaba la bandeja con el desayuno. También había un bollo que me gusta especialmente. Pero noté que hoy no me iba a alegrar con mi bollo. Tampoco con la nata ácida que estaba al lado. La noche seguía colgando sobre mí como una nube negra.

Zachi se fue a la cama de Jonathan y le mostró un emblema en su pijama. —Mi hermano viene hoy a verme —dijo—, es paracaidista.

Jonathan leyó en voz alta: —La temperatura en el planeta Venus alcanza los 380 grados.

Zachi dijo: —¡*Sababa!* —pero no daba la impresión de que Venus le resultara tan importante. Se subió de nuevo a la cama y comenzó a saltar. Mientras lo hacía, no dejaba de mirarme. No sé por qué. Jonathan levantó la cabeza de su libro e intentó hablar con él.

—Ese planeta, Venus, es un pequeño infierno —dijo. Sonaba como si el terrible calor en alguna lejana estrella le rompiera el corazón, como si le preocupara más que todo lo que sucedía en nuestra habitación. Se volvió hacia mí y dijo: —Verdaderamente, nuestra esfera terrestre podría ser un paraíso. Reúne las condiciones necesarias para ello —y me sonrió como a un amigo.

Zachi dijo otra vez: —¡Mi hermano viene hoy a verme!—y saltó de su cama a la de Jonathan. Éste hizo como si no lo viera y yo no me sentía nada bien. Tragué un bocado de mi bollo, que cayó en el estómago como una piedra. No podía comer.

Jonathan comenzó a explicar por qué la Tierra era tan maravillosa: —El sol calienta tan fuerte como necesitamos. También llueve y las plantas producen oxígeno. ¡Y todas las especies de plantas y animales que se han desarrollado aquí, tantas razas y clases! Pensad cuántas especies de coleópteros e insectos pueblan los bosques y cuántos peces y demás seres vivos viven en el agua. No podemos destruir esta Tierra. La necesitamos y los que vengan después de nosotros también la necesitarán.

A Zachi le dan lo mismo los escarabajos y los peces. Sacó el balón de debajo de la manta y le dio una patada contra el catre. —Mi hermano termina de recibir sus alas —indicó, como si su hermano fuera una criatura aún más maravillosa que todos los escarabajos y peces de Jonathan. Eso tenía que decírselo. Me imaginé cómo su hermano saltaba del jeep y, de pronto, como un gran pájaro, caía sobre las estrechas callejuelas de mi aldea. Zachi pateó su balón en dirección a mí, acercándose cada vez más a mi cama. Ya notaba el enloquecedor dolor en mi rodilla.

—Ballenas —dijo Jonathan. Se levantó y fue directamente hacia Zachi con su libro—. ¡Imagínate! Animales tan grandes que además son inteligentes. Y todos los mamíferos, todos pertenecen a nuestra familia.

—En nuestra familia, todos son paracaidistas —dijo Zachi y tiró el balón hacia Miki. Miki se lo pasó a Ludmila y ella se lo devolvió a Zachi. Después Zachi chutó con fuerza hacia Ludmila y el balón dio a un tiesto de la ventana, que cayó al suelo y se rompió.

Verdina entró corriendo en la habitación. —¿Qué ha pasado? —preguntó. Su voz era seca. Muy distinta a cuando cantaba— ¿Qué ha pasado? —preguntó Verdina de nuevo y nos miró a todos. Su mirada resbaló lentamente de uno a otro. Nadie contestó. Zachi estaba sentado en su cama, los brazos cruzados, con una sonrisa en su cara de paciente camello, como si jamás en la vida hubiera dado una patada a un balón. Miki se rió nerviosa. Ludmila miraba a Verdina con los ojos muy abiertos, ojos azul cielo, y comenzó a llorar suavemente. —¿Quién ha sido? —preguntó Verdina. Se agachó para recoger la tierra esparcida y los fragmentos del tiesto. El llanto de Ludmila la ponía nerviosa.

—Esta planta nos la regaló la madre de un chico que estaba muy enfermo y estuvo en esta estación. Era un recuerdo. No me la puede sustituir nadie porque cuando la riego por la mañana, pienso en aquel chico —dijo triste.

Vi cómo Zachi palidecía. De su rostro había desaparecido la sonrisa. Ludmila lloraba más todavía.

—Os dejamos hacer todo. Os mimamos y os alimentamos bien para que os recuperéis. ¿Es éste el agradecimiento? —al terminar me miró precisamente a mí. Y su mirada era peor que los golpes.

Yo no sabía qué hacer. El miedo con el que me había despertado por la mañana, se hizo aún mayor. Hubiera deseado señalar a Zachi. Todos debían saber que había sido él. Debían castigarlo y sacarlo de la habitación, como se arranca la maleza de un bancal de verdura. Pero también tenía miedo, miedo del odio que me atenazaba, de forma que casi no conseguía respirar. Quería tranquilizarme. Habría deseado hacer magia para que todo en la habitación hubiera estado como antes, así me habría acurrucado bajo mi manta y me habría comido tranquilamente mi bollo y la nata ácida. Yo había pensado que este lugar, aquí, estaba fuera del mundo. Que no me perseguiría ninguna preocupación hasta aquí. Dije para mí las tres frases mágicas: *Once there was a wizard...* pero no me tranquilizaron.

De pronto, Jonathan dijo: —Fuimos todos, Verdina —mientras jugueteaba con su delgada trenza. Como un polluelo que estira el cuello, estaba delante de Verdina. Su voz me sonó en los oídos como una campana. Verdina lo miró sorprendida. Sujetaba la planta, con una gruesa bola de tierra, con las dos manos y miraba a Jonathan, como si él terminara de solucionar un problema difícil. Ludmila dejó de llorar. De golpe. Zachi estaba sentado en la cama y miraba al suelo. Todos respiraron aliviados. Nunca jamás habría pensado que existiera una persona tan noble en todo el mundo. Hubiera deseado darle un beso. Y la ira de Verdina desapareció como arrastrada por un cubo de agua.

—La planta está todavía bien —dijo—. Buscaré un tiesto nuevo para ella —y salió lentamente de la habitación.

11

El hermano de Zachi llegó por la tarde. Iba de uniforme, aunque no llevaba puesto ningún casco, y con su pelo revuelto más bien parecía un joven despeinado que un soldado. Dejó su fusil bajo la cama de Zachi, en una esquina, y se sentó en la silla. Estiró las piernas y bostezó, como si fuera a dormirse al momento, si se le permitía. No tenía alas.

Zachi se sentó en el regazo de su hermano y lo tocaba una y otra vez. Quizá no creyera que su hermano hubiera venido realmente y estuviera sentado en la habitación. Todo el tiempo lo estuvo tocando y acariciando. Le desabrochó los bolsillos y sacó un billete de autobús y un peine y toda clase de papeles, que, uno tras otro, miró detenidamente y después colocó seguidos. Si estaban arrugados, los alisaba con increíble cuidado. Después volvió a meter las cosas en el bolsillo de la camisa. Su hermano le dejaba hacer.

Zachi retuvo el peine en la mano. Su hermano, de pronto, se acordó de que debía estar despeinado; cogió el peine, fue hacia el lavabo, donde cuelga el espejo, humedeció el peine y se peinó. Con el pelo pegado a la frente, tenía ahora un aspecto aún más joven. Zachi también quiso intentarlo con el pelo mojado. Peinó su pelo de un lado hacia el otro y no se podía determinar por ninguno, hasta que su hermano le quitó el peine y lo peinó, pegándole el pelo a la frente. Así todavía se parecían más. Casi como dos gemelos.

El hermano de Zachi se sentó en la silla y estiró de nuevo las piernas. Ahora se veía que verdaderamente estaba cansado. Apenas si podía mantener los ojos abiertos. Zachi se sentó en la cama, frente a él y le dio el peine. Su hermano sacó un trozo de papel del bolso, lo puso sobre el peine y sopló a través de él una melodía triste, tan triste como yo jamás había oído. Sus manos temblaban ligeramente mientras tocaba. No sé si era por el cansancio o porque resultaba tan difícil de tocar. Nunca antes había visto un soldado de cerca y sin casco.

El hermano de Zachi sacó una caja de cartón de su mochila. La abrió y la puso delante de Zachi, que con sus gigantescos dedos sacó un trozo de *knaafi,* pastel árabe, y comenzó a comer.

El olor casi me desmaya. Recordé que desde el encuentro nocturno con Zachi apenas si había comido nada. Y a pesar de ello, algo me pesaba en el estómago. No habría podido tragar ni unas migas. Zachi se llenó de tarta de *knaafi* y su hermano lo miraba y se alegraba de que le gustara. De pronto, vi la tapa de la caja. El golpe me tambaleó: «Chahada e Hijos». Chahada es el panadero de la ciudad donde trabaja mamá, no lejos de nuestra aldea.

De repente, no podía esperar más a la visita de mamá. Yo no quería hacer como si pudiera pasarme sin visitas. Tenía que preguntar a Verdina cuándo, por fin, vendría alguien a visitarme. Tenía que preguntarle ahora mismo. En ese momento. Apreté el timbre y no lo solté. Verdina entró precipitadamente en la habitación. —¿Qué ha sucedido? ¿Por qué llamas así al timbre? —quería saber.

Todos me miraron y yo me avergoncé y no pude decir ni una sola palabra.

—¿Qué te sucede? Precisamente estaba pasando la consulta —Verdina se enfadó—. ¿Necesitas la bacinilla?

El hermano de Zachi levantó la mirada y se fijó en mí. Zachi sonrió irónicamente. Me metí bajo la manta y Verdina se fue.

En la oscuridad, veo a mi padre sentado. No se mueve, tampoco pone el televisor. Ha cerrado las contraventanas y permanece sentado a oscuras. Mamá lava ropa en la cocina y papá está sentado allí, frente al abuelo, y calla. El abuelo fuma. Para él siempre hay oscuridad. Entra Navar, quiere dar la luz, pero no se atreve. Papá y abuelo están sentados a oscuras y yo intento escuchar algo. Quizá digan alguna palabra. Pero no, callan. De vez en cuando, uno de ellos toma un sorbo de café, coloca de nuevo la tacita sobre la bandeja y el silencio domina de nuevo.

—¿Por qué papá ya no habla nada? —pregunto a mamá en la cocina. Mamá sigue lavando. Sus manos frotan insistentemente y hablan por su boca— Cuando se le ha robado la luz de sus ojos —dice después de un rato—, qué puede decir todavía.

Quisiera preguntar si yo le he robado la vida a papá. No sé qué quiere decir con ello, pero tengo que saber si he sido yo, si lo he hecho yo.

A las cuatro, vinieron Ingrid y la otra Ingrid y trajeron café y pastas. Zachi se ofreció voluntario porque quiere ayudar a repartir. Su hermano ya se había ido y Zachi se quedó más callado que de costumbre. Me puso un vaso de té sobre la mesilla y él mismo introdujo mi pasta dentro del té. Después regresó hasta el carrito y miró como un angelito a Ingrid e Ingrid. Estas noruegas apenas si se dan cuenta de lo que aquí sucede. Lo mismo que los soldados de la ONU, que sólo te sonríen, fuman sus Malboro y no comprenden lo que sucede. Jonathan les cae muy bien. Se colocan al lado de su cama, como niñas pequeñas, mientras él les explica que durante cuatro mil millones de años en nuestra Tierra sólo hubo plantas acuáticas. Aunque no entiendan lo que él dice, Jonathan las introduce en su libro y lo acompaña con grandes cifras, y ellas le acarician su cabeza de polluelo y sonríen, mientras Zachi se come todas las pastas.

12

Desperté y enseguida supe que algo sucedía, que algo no estaba bien. Tenía dolores por encima de los ojos, como si no hubiera dormido en toda la noche. Como si hubiera estado pensando con los ojos abiertos. Pensar no es la palabra correcta. Quizá también había soñado. Había visto imágenes: Al hermano de Zachi le crecían alas y volaba por encima de la tienda de «Chahada e Hijos». Era un gran pájaro con las plumas desgreñadas y húmedas. Llevaba en su pico una caja de cartón con calientes pasteles *knaafi* y volaba con los pasteles por encima de la plaza de nuestra aldea y se posaba sobre la cama de Zachi. También a Zachi le habían crecido alas y un pico y los dos picoteaban *knaafi* y se reían. De repente, me vino un terrible pensamiento: Quizá fue el hermano de Zachi. Quizá él había... a mi hermano, con su fusil.

Desde que ese pensamiento se apoderó de mí, no me abandona. Zachi corre en pijama por la habitación y se anima a sí mismo gritando: —¡Vienen los paracaidistas!

Cada vez que pasa a mi lado y me mira, veo la burla en sus ojos y estoy convencido de que él sabe lo que yo pienso. El pensamiento se ha metido en mí y no puedo pensar en otra cosa. Jonathan lee en voz alta que en los mares y océanos de la Tierra, solamente hubo algas durante cuatro mil millones de años. Parece ser que los verdaderos animales se desarrollaron con grandes dificultades. Pasó todo ese tiempo hasta que se desarrollaron en el mar los más simples de los seres vivos. Al principio, animales diminutos que no puedes ver a simple vista y, sólo después de un largo período de tiempo, los corales, las estrellas de mar, los pólipos, los pulpos y todo un sinfín de otros animales, de los que yo nunca había oído. Más tarde, a uno de ellos se le desarrollaron pulmones e intentó salir un poco a la tierra y sólo más tarde, mucho más tarde comenzó la vida en tierra firme.

Miro a Jonathan y no estoy ya seguro. ¿Será posible que él no vea nada? ¿Que no vea lo que Zachi y yo vemos y sabemos? ¿O él ve mucho, mucho más lejos?

Ludmila de nuevo se niega a comer y a beber. Esta mañana le han conectado su brazo a un tubo unido a una bolsa que cuelga por encima de su cama y de la que gotea constantemente un líquido dentro de su cuerpo.

Esta mañana temprano, cuando ella dormía, vino Félix a nuestra habitación y nos dijo que Ludmila procedía de Rusia. Allí tenía amigas y allí había ido a la escuela. Allí se vive de otra forma y a ella le cuesta acostumbrarse a vivir aquí. Los niños le preguntaron a Félix y él les dijo cómo podían ayudarla, hablando con ella y haciéndose amigos suyos. Mientras tanto, yo pensaba para mí que Ludmila era la hija de un califa. Solamente yo sabía que una maldición pesaba sobre ella.

Me metí debajo de la manta y lo intenté con mis frases mágicas. Tres veces, y la tercera sin respirar, desde la primera a la última palabra. Pero Ludmila seguía durmiendo. Dormía casi todo el tiempo. Quizá ya estaba demasiado débil. Comenzaba a dudar de mí, de si verdaderamente podía hacer magia y temía que los malos pensamientos me hubieran estropeado el poder mágico.

Verdina trajo la comida del mediodía. Me hubiera gustado preguntarle por mamá, pero ya ni siquiera me atrevía a mirarla. Tenía miedo de que me leyera todo en los ojos. Miedo de que viera en mis ojos al hermano de

Zachi corriendo, con el fusil en la mano, por el bazar. Todos los adolescentes salen corriendo, sólo Fadi está en la plaza. Sólo Fadi ya no regresa a casa.

—¿Qué ojos son éstos? —preguntó Verdina.

Temía moverme. Ahora estaba claro. Los dos sabíamos que ella lo veía todo. Puso su mano sobre mi frente y me metió el termómetro en la boca. Tenía fiebre. El médico, que se parece al sacerdote de la televisión jordana, vino a reconocerme. Consultó con otro joven médico. Ambos miraban, una y otra vez, mi rodilla. Y también las radiografías. El médico del serial me enfocó con una pequeña linterna a la cara y los ojos. No sé si vio algo. También miró en el otro ojo y, de nuevo, en el primero. Algo veía, pero no sabía exactamente qué.

Adnan dice que, un día, todos los malos caerán en un profundo foso lleno de serpientes. Nadie los volverá a sacar de allí. En ese foso, el demonio juega con ellos todas las tardes antes de ponerse el sol y después cierra el foso durante la noche, se fuma un *Nargila* y se va a dormir. El que está en el foso, nunca más saldrá. El problema es que nadie sabe si él también pertenece a los malos.

Ya que a los malos pertenece no sólo gente que hace el mal. También el que tiene malos pensamientos. Sí. Muchos de los que irán a parar al gran agujero nunca han pensado que son malos. Tú mismo a veces tampoco te das cuenta.

Pero, ¿qué podía hacer yo si siempre tengo que pensar en ello? Todo el tiempo me imagino cómo el hermano de Zachi dispara con el fusil, después se lo cuelga al hombro y se va con su jeep a «Chahada e Hijos» a comer *knaafi*.

El médico me pregunta si me preocupa algo. Respiro profundamente y pregunto por mamá. A él le puedo preguntar tranquilamente. No me molesta si me tiene por un miedica. El médico va a preguntar a las enfermeras. Cuando regresa, veo en él que algo no marcha bien. Dice que la «zona» desde hace dos días está «aislada».

Yo no sabía qué significaba eso exactamente, sólo que era malo. Me metí debajo de la manta y me dije: ¿Ves? Éste es tu castigo. Y esto es sólo el principio. El agujero de las serpientes todavía está por llegar.

Vino Félix y me retiró la manta de la cara. Me explicó lo que había sucedido. Habló amablemente, como siempre. En él, las cosas no suenan tan mal. Por el momento, no se permite el paso por la zona de sitio militar, por eso mamá todavía no puede venir a verme. Eso ya ha sucedido con frecuencia, pero él estaba seguro que pasaría. No creía que siguiera así mucho tiempo. No consiguió quitarme de la cabeza el pensamiento sobre el hermano de Zachi.

Papá retira la manta de la cara de Fadi y lo mira. A Navar y a mí no se nos permite entrar en la habitación. Mi hermano mayor Bassam está sentado con nosotros en la cocina. Nadie tiene cuidado de que mamá no entre. Está acostada en la cama y una tía habla con ella intentando que tome un poco de té *Kinar*. Desde la puerta de la cocina veo cómo papá levanta la manta y mira a Fadi. Yo no puedo ver a Fadi. Una silla me tapa la vista. Sólo puedo ver desde lejos el final de la manta con la mancha.

13

Cuando llegó el médico que debía operarme, todos dormían ya. Yo estaba también adormecido cuando, de pronto, un hombre masticando chicle se inclinó sobre mí. Félix me dijo, mirando por encima del hombro del médico, que era el cirujano de Chicago que terminaba de llegar en avión. Sólo ahora me di cuenta del silencio en la planta. Todos dormían, también en las otras habitaciones. El médico me despertó en medio de la noche. Así debe ser con los médicos americanos, ya que en su país es de día cuando aquí es de noche. El médico, en sí, tenía un aspecto normal. Vestía ropas normales y en el bolsillo de la camisa llevaba, seguro, más de diez bolígrafos. Mientras me reconocía, hablaba conmigo en inglés y me sonreía, lo mismo que en la serie del hospital en la televisión jordana los lunes por la noche, en la que sonríen a todos los enfermos como si cada uno de ellos fuera su único hijo.

Félix, que le mostraba toda clase de papeles y radiografías, no era como siempre. Tenía un aspecto muy serio. Quizá porque durante todo el tiempo tenía que hablar en inglés con el médico. El médico le pidió a Félix que me dijera que mañana me operaría la rodilla y me puse muy contento porque quizá al día siguiente pudiera irme a casa. Quería preguntar quién vendría a buscarme y que pasaba con el sitio militar. Sin embargo, Félix me hizo una seña de que ahora me callara, para que el médico pudiera concentrarse en el reconocimiento.

Vi sus delgados dedos, con los que tocaba con cuidado mi rodilla. Tenía manos como una chica. Aquel hombre había hecho todo el camino desde América para salvar mi rodilla. Yo quería decirle *Thank you* y quizá alguna amabilidad más, después de que había venido de tan lejos, pero también porque yo tenía mucho miedo de la anestesia. Pensaba que si le decía ahora algunas palabras amables, quizá él tendría más cuidado. Pero, ¿qué podría decirle?

Once there was a wizard?

Sólo cuando salió vi que llevaba los mismos zuecos de madera que los médicos en la serie de televisión. Como si terminara de llegar de allí para operarme.

Félix se quedó conmigo y me dijo que al día siguiente no me darían de desayunar, ya que mi estómago tenía que estar vacío antes de la anestesia. Inmediatamente me entró un hambre como si no hubiera comido desde hacía tres días. Félix me trajo una taza de té, me dio una pastilla, que debía tragar y se quedó todavía un rato más sentado conmigo. Yo pensaba todo el tiempo en comer. El comenzó a explicarme algo de la anestesia, de que te duermes profundamente y no notas nada, porque estás como flotando en otro mundo. Sin embargo, estaba tan serio como nunca lo había conocido y pensé que quizá él mismo tuviera algo de miedo por la operación y la anestesia. Ahora no se sacaría ningún globo de la oreja. Todo el asunto le parecía, de pronto, peligroso. Y yo estoy sentado, con el fabuloso sabor en la boca del queso de bola de cabra en aceite de oliva, como lo hace mamá cuando papá le ha cortado el pelo a varios soldados de la UNRRA*. Ese sabor ya no me

---

* Soldados de la United Nations Relied and Rehabilitation Administration.

abandona. Félix quiere explicarme lo que sucede en cada momento de la operación, pero la pastilla que me ha dado hace de mí un bebé satisfecho y no tengo ninguna gana de hablar y menos con ese maravilloso sabor a *Labane* en la boca y menos todavía en hebreo.

A la mañana siguiente no me dieron el desayuno. Solamente me quedé en la cama y miraba a los otros mientras comían. Todo tenía un aspecto más apetitoso que de costumbre. Vi cómo Zachi se metía medio tomate en la boca y cómo el zumo le resbalaba por la barbilla. Jonathan comía su huevo, como todas las mañanas, masticando y sumergido en su libro. Si se le caían migas de pan sobre las hojas, las reunía con dos dedos y se las llevaba a la boca; probablemente, no notara en absoluto qué era lo que comía. Yo seguía teniendo en la boca el sabor del queso de bola *Labane* de mi madre. Aunque lo intentaba, no conseguía desprenderme de él o, mejor, de la nostalgia de ese sabor. Miki comía un bollo. Por las mañanas, me gustaban más los bollos, incluso más que las tortas recién salidas del horno y más que nada de lo que me dan aquí, en el hospital. Si pudiera elegir lo que quiero comer durante toda mi vida, sería un bollo con nata ácida.

Por la tarde, Jonathan habló conmigo. Por primera vez no por la noche, en la oscuridad. Vino a mi cama y habló conmigo. No sé si por casualidad, fue cuando Zachi se había ido a un reconocimiento y Miki se duchaba. Sólo Ludmila estaba en la cama y no se movía. No daba la impresión de que ella se enterase de algo. Solamente estaba acostada y miraba hacia la ventana. Tenía que encontrar una nueva fórmula mágica para ella, pero no tenía ni idea de cuál.

—Cuando vuelvas de la operación, iremos a Marte —susurró Jonathan—. He hablado con Verdina. Te darán una silla de ruedas hasta que la pierna esté bien de nuevo.

Lo miré y no podía creerlo. Tenía un aspecto tan serio, allí sentado, mirándome totalmente tranquilo. ¿Cómo quería llegar hasta allí? ¿En silla de ruedas?

Pero no pregunté nada. Me sentaba bien que hablara conmigo como con un amigo. Me dio a conocer su secreto. Sólo nosotros dos lo conocíamos. De ninguna forma, quería yo estropearlo.

—Juntos somos dos niños con tres piernas y tres brazos —dijo y señaló su brazo, que llevaba en cabestrillo. La otra mano jugaba con su pequeña coleta—. He calculado todo —dijo. Pero entonces llegó Zachi y Jonathan enmudeció, se fue a su cama y desapareció de nuevo detrás de su libro. Y a mí me vinieron de nuevo mis pensamientos.

Me meto debajo de la manta y me imagino cómo llevamos a Fadi en una manta al hospital y yo le ruego al médico americano que le opere para devolverlo a la vida. Mientras tanto, oigo todo el tiempo cómo Zachi corre con el balón por toda la pieza y no me desprendo de la imagen de su hermano patrullando con el fusil por nuestras calles.

La fiebre ha continuado subiendo y Verdina viene y me dice que la operación ha sido retrasada. Quizá me lo imagine, pero ella me mira como si yo fuera el culpable.

También cuando mi maestra me mira en la escuela, me siento culpable el primero. Si Adnan, que se sienta a mi lado, fuma durante la pausa, noto cómo ella me mira en la hora de clase siguiente. Precisamente a mí. No a Adnan. Y también aunque no haya participado en nada, me siento inmediatamente culpable. Siempre hay algo de lo que uno pueda sentirse culpable. No faltan cosas. Seguro que no cuando se es amigo de Adnan. Casi no se puede ser amigo suyo sin tener problemas. Mamá dice a veces: «Alabado sea Dios que ha dado sólo varones a la madre de Adnan, pero ¿por qué tienes que ser amigo suyo?». Cuando habla así, me enfado, pero cuando estoy solo, sé que tiene razón. Si se hace algo con Adnan, nunca se sabe cómo terminará. Al principio, todo parece muy prometedor y, al final, tienes problemas con los que no has contado. A veces pienso que a Adnan, la paliza más brutal no le importaría lo más mínimo. Se reiría.

Estoy sentado con mi fiebre en la cama y me atormento con malos pensamientos. Con lo que, por momentos, mis posibilidades de ir a parar al agujero de las serpientes se incrementan. Hasta que pase algo bueno y olvide, por unas horas, la postergada operación, los sitios militares cerrados, al hermano de Zachi y otros problemas.

14

Ingrid y la otra Ingrid vinieron de nuevo. Esta vez trajeron barro. En nuestra aldea, con él se hacen vasijas y cerámica, aquí se lo dan a los niños para que jueguen. Cada uno recibió una fuente con un pegote de barro húmedo y una tabla para trabajarlo, y podíamos hacer lo que quisiéramos con él.

Yo estuve un buen rato ante el barro y no me atrevía a tocarlo. Miré a ver qué hacían los otros. Zachi quería construir un cañón gigantesco, para lo que necesitaba mucho material. Así que todo el tiempo corría entre su cama y el carrito y cogía cada vez más. Amasaba el barro con sus enormes manos y, de entusiasmo, su lengua asomaba entre los labios.

Jonathan construyó un cometa. Pero tuvo dificultades con la cola. Suspiraba y dijo que era difícil hacer con barro la cola de un cometa luminoso. Sin embargo, mientras lo intentaba, habló de un cometa Halley, que pasa por la Tierra cada 76 años.

Hacía unos pocos años que Halley había pasado por aquí. Jonathan había salido con su padre de noche para ver el cometa. Subieron hasta una colina y a la mitad del ascenso, su padre lo subió a sus hombros. Jonathan no podía recordar mucho más. Sólo sabía que hacía frío y estaba muy oscuro y que el cielo de la noche tenía el mismo aspecto de siempre. Además de Jonathan y su padre, había algunas personas más en la colina. De pronto, alguien exclamó: «¡Ahí está!» y señaló hacia el cielo, exactamente por encima de sus cabezas, pero Jonathan sólo vio las titilantes estrellas que veía en las noches normales. Aunque él, desde los hombros de su padre, estaba más cerca del cometa que los otros. Todos se emocionaron mucho. También el padre de Jonathan. Un hombre viejo comenzó a bailar, allí arriba en la colina, en medio de la noche. Era el anciano feliz que había visto el Halley. Había sido la posibilidad de su vida. Si Jonathan llega a ser abuelo muy viejo, tendrá la posibilidad de ver a Halley. Quizá lo vea entonces y también baile de alegría.

Miki intentó hacer un nuevo tiesto para Verdina. Como sustitución del que Zachi había roto tontamente. Pero no es tan fácil un tiesto grande y así lo fue haciendo más y más pequeño hasta que, finalmente, fue del tamaño de un pequeño recipiente para compota; pese a ello, Miki no abandonó. Mejor hacía un pequeño cuenco para Verdina que nada.

Sólo Ludmila estaba sentada en su cama, miraba por la ventana y no hacía nada. Miraba las moscas que zumbaban delante de la ventana y soñaba. Ni Ingrid e Ingrid ni las frases que yo, primero conteniendo y después sin contener el aire, susurraba consiguieron que se moviera.

Me gustaría hacer con el barro una pequeña liebre para Fadi, sólo que no sé cómo empezar. ¿Por la cabeza o por las patas? Y, en realidad, todavía no he conseguido superar mi aprensión a tocar ese barro húmedo, que se pega a los dedos. Cuando jugaba con Fadi en el fango, él siempre se embadurnaba completamente, también su ropa, mientras que yo lo más que conseguía era mancharme las manos. Solamente cuando hacíamos pelotitas de albóndigas, las rebozábamos en la arena y las poníamos en una tabla grande y se las ofrecíamos a la gente, como si fueran comida, sólo entonces yo olvidaba por un rato que estaban hechas de barro y me entregaba totalmente al juego.

Aquí, en el hospital, a nadie le molesta que nos manchemos. Al contrario. Cuanto más sucios estábamos, más felices se sentían Ingrid e Ingrid. Te permitían manchar totalmente las sábanas y las almohadas, porque, de todas formas, iban a mudar las camas.

Cogí un buen pedazo y comencé a amasarlo con ambas manos. El barro está agradablemente fresco. Mucho más agradable que el fango. Puedes acariciarlo poniéndolo plano y, a la vez, pensar en otras cosas y, con el paso del tiempo, también tus pensamientos se alisan, se vuelven tan suaves como la seda. Amasas y alisas y, en realidad, no estás aquí. Navegas por otro mundo.

El trozo de barro es todavía demasiado grande y tosco para una pequeña liebre, pero tengo tiempo. Nadie mete prisa. En ese trozo de barro, ya está dentro la pequeña liebre, ahí están sus ágiles cuatro patas, las dos manos saltarinas de adelante y las dos articuladas de atrás y el rabo. Incluso la cabeza está ya ahí. Sólo que ese pegote hasta ahora más bien parece una oveja, redonda y gorda, como si estuviera envuelta en suave lana. Comienzo a alargarle las piernas. Pero son demasiado pequeñas y demasiado delgadas, también para una pequeña liebre. Primero tengo más bien una oveja sin cabeza sobre patas de gallina. Pero nadie me apremia. Yo sé que la pequeña liebre está ahí dentro y finalmente conseguiré sacarla a la luz del mundo. Sólo es una cuestión de tiempo y paciencia.

Zachi ya está amasando el tubo de su cañón. Todavía no lo puede apoyar en ninguna parte y por eso lo arrima a la fuente de plástico con el barro. El orificio del tubo apunta hacia el techo de la habitación. Zachi lo va haciendo cada vez más largo y corre, una y otra vez, a buscar más barro.

Ya no recuerdo la última vez que fui tan libre de hacer o dejar de hacer lo que quisiera. Quizá en la guardería, pero de eso, hace ya mucho tiempo. Y allí siempre había demasiado jaleo. Demasiados niños en una pequeña habitación. Siempre empujones y siempre gritos. Nadie tenía paciencia para sentarse a una mesa a hacer algo. De todas formas, los chicos nunca se sentaban a pintar. Preferían saltar y correr como salvajes por el patio. Y en invierno había goteras. No se estaba tan tranquilo como aquí. Aquí somos cinco niños y dos profesoras. Y está todo tan silencioso que se oye a las moscas. Quizá esto sea así entre los judíos. Quizá sus familias tengan en casa una vida así de tranquila, como en las series de televisión, quizá estén sentadas y hagan cosas con barro, y coman bollos con nata ácida y *split* de chocolate.

Observo a Jonathan cómo trabaja concentrado en su cometa. De pronto, me gustaría ser como él. Cuánto me gustaría estar solo con papá. Que me perteneciera solamente a mí. Quizá tendría nostalgia de mamá y del abuelo, pero si papá, de vez en cuando, tuviera tiempo para hablar conmigo, entonces quizá no los echara de menos. En lugar de suspirar ante sus facturas, quizá podría mirar conmigo las estrellas en el cielo. Nosotros dos, solos.

A veces, papá habla de antes, de los buenos tiempos. Cómo él y mamá se casaron poco antes de que fuera ocupado el país. Cómo se gastaron más de mil dinares solamente en cabras, gallinas y dulces. Habla de las canciones de Fairús, la cantante de Líbano y la orquesta de baile y de la alegría de los invitados, verdaderos amigos, como hoy apenas hay. Y mamá me cuenta susurrando sobre las mujeres, que se habían untado todo el cuerpo de aceites aromáticos, y sobre sus vestidos de seda, que tenían bordados cisnes en oro y que olían maravillosamente. Después, el abuelo se enfada cuando ellos llaman a esos tiempos «los buenos viejos tiempos».

Antes todo era totalmente distinto, comienza a hablar. Quiere decir todavía hace más tiempo, antes de que la familia tuviera que abandonar su ciudad de origen. El era entonces un niño. Habla de las grandes y frescas habitaciones de la casa, cubiertas de alfombras, y de la habitación de su padre. Era médico y los niños sólo podían ver la habitación desde la puerta, jamás poner un pie dentro. Desde las ventanas de la cocina se miraba hacia el mar y solamente la voz del almuecín rompía el silencio de la noche. Veo cómo papá se encierra en su silencio y no sé si debo creer todo eso. ¿Debo creer a papá y al abuelo de que la vida era totalmente diferente?

He conseguido que las patas de mi pequeña liebre sean algo más gruesas. Pero todavía están torcidas y nada ágiles. No puedo imaginarme que una liebre pueda correr con estas patas. Quizá una cabra. Como la de nuestro vecino en el tejado. Ahora tengo una oveja con patas de cabra y todavía tengo que trabajar mucho en esto, pero no tengo prisa. Creo que haré primero la cabeza. La cabeza le dará a esta criatura algo más de vida.

Miki se pasea por la habitación y les muestra a todos su pequeño cuenco, mientras piensa para qué lo puede utilizar. Zachi le propone que le haga una pequeña hendidura y así tendrá un cenicero. Jonathan opina que debe convertirlo en una tapadera y tendría, en nada, un platillo volante. Sin embargo, Miki no está segura de que Verdina pueda hacer algo con un platillo volante, y más con uno tan pequeño. Yo todavía no les muestro mi pequeña liebre. Quito un trozo de su cuerpo y lo moldeo como puedo. Eso será la cabeza. Para mí es importante sacar la cabeza de su cuerpo y no hacerla con otro trozo. Porque toda la pequeña liebre está ahí dentro. De eso estoy seguro.

Ingrid y la otra Ingrid han traído también una pintura especial. Pintura para barro. Zachi le cuenta a todos que va a pintar su cañón de camuflaje atigrado para que el enemigo no lo vea. Jonathan sonríe. Prefiere intentarlo con una pequeña, simpática estrella de mar y así convierte el cometa de nuevo en un pegote y vuelve a empezar. Ludmila está acostada con la cara hacia la pared. Ya ni siquiera quiere ver a Ingrid e Ingrid.

No se puede decir que sea una cabeza de liebre. No se parece en nada a la pequeña liebre de Fadi y mía. Está demasiado hinchada y sus orejas son enanas. Cuando intento alargárselas, tienen aspecto de dos zanahorias pegadas. Pero cuando le pinto los ojos a la pequeña liebre, adquiere de pronto vida. Me mira y ya no desvía su mirada de mí. Y sus pequeñas orejas le sientan sorprendentemente bien. Ninguna otra oreja quedaría bien a esa mirada.

Ahora mi animal se parece a un animal que no existe, pero es mucho más verdadero que cualquier otro animal que yo conozca. Un cuerpo de oveja con una cabeza como una nube de verano, que te mira directamente a los ojos. Le pinto además un pequeño rabo. No estoy seguro, sin embargo, de si lo necesita. Ahora mi pequeña liebre casi está totalmente terminada y la miro detenidamente y, en realidad, no quiero cambiar nada en ella. No la voy a pintar. Así es más natural. Casi color tierra. Quizá sólo los ojos. En recuerdo a nuestra pequeña liebre muerta. Le pinto unos ojos de color violeta y está terminada.

Zachi hace *bum* con su cañón y dispara en todas las direcciones, y Jonathan pinta su estrella de mar de un color plateado brillante.

Los padres de Ludmila llegan por la tarde sin avisar. Dos personas delgadas, que sonreían constantemente, aparecieron en nuestra habitación. Llegaron con una tarta, en la que ardían muchas velas, y cantaron con fina voz una canción rusa. Jonathan me explicó que aquello no era simplemente una fiesta, verdaderamente hoy era el cumpleaños de Ludmila. Ella lo había olvidado. Ludmila se sentó y miró, con los ojos muy abiertos, a sus padres y la tarta.

Su padre le cortó un trozo de tarta y ella, como en un cuento, abrió la boca y dejó que le dieran de comer. También vinieron Félix y Verdina, aplaudieron y quitaron el tubo del brazo de Ludmila. Ludmila se sentó y parloteó con sus padres en ruso, como si nunca hubiera estado enferma. Quizá sí que había ayudado mi conjuro mágico. Sólo que no sabía si era conteniendo o sin contener la respiración. Quizá sucedía así porque yo, cerrado como una mula, había repetido una y otra vez las frases.

Los niños le entregaron pequeños regalos a Ludmila. Zachi le dio un puñado de cacahuetes americanos, Jonathan le regaló una pluma de pavo real y Miki le dio una goma de color para el pelo. Yo veía la fiesta desde lejos, pues no podía levantarme de la cama. Pero me dije que mi regalo era la magia; además, me habría avergonzado hacer un regalo a una chica que tiene doce años, si no más. Félix hinchó globos y los colgó de la cama de Ludmila. Verdina dio a todos tarta. Todos recibieron un trozo sobre una servilleta de papel.

Nunca había visto una tarta así. No sólo el baño de chocolate con nieve por encima, y sobre la nieve pequeños caramelos, la tarta en sí tenía todavía tres pisos diferentes, ¡cada uno de un color distinto! Y la nieve se te derretía en la boca, no podías degustarla suficientemente rápido. Los caramelos se diluían en la lengua. Una vez que tenías un bocado de tarta en la boca, ya no necesitabas los dientes para nada.

Ludmila incluso se levantó y estuvo andando por la habitación. Con un pequeño trozo de tarta en su pequeña mano, se paseaba de un lado a otro y tarareaba para ella. Parecía ser muy feliz. Me gustó el ruido que hacían sobre el piso sus blancas zapatillas punteadas de plata. Lo mismo que en los niños, pensé. En un momento todo es negro y al momento siguiente el mundo es maravilloso. Como decíamos en árabe *«jom assal-jom bassal»*. Un día miel-un día cebolla. O como dice Adnan: «También en la mayor mierda se encuentra una moneda».

Cuando se cierra la escuela allí donde vivimos, debido a los tumultos, Adnan y yo ayudamos en la recogida de basura y buscamos cosas en ella. A veces todo está húmedo y apesta. El hombre que vacía los contenedores en el camión de la basura nos apremia. Apenas si tenemos tiempo de mirar en los contenedores y ya está el camión y tenemos que seguir corriendo y traer el contenedor siguiente, con el fin de que estén a tiempo al borde de la calle. El aire es helado y en las manos se ha formado una costra negra, grasienta. Se queda agarrada y pica y sabes que después tardarás horas en quedarte libre del hedor. Con este tiempo, los desperdicios son sencillamente basura. Negra y sucia. Sabes que no vas a encontrar nada que merezca la pena. Vamos por los barrios más pobres. Los contenedores de basura están llenos de comida podrida, de alubias enmohecidas, de albóndigas quemadas, que apestan a aceite de freír barata y rancia. Ropa gastada... Miro a Adnan. Tiene un aspecto como si lo hubieran metido en un barril de tea. Incluso él tampoco se ríe ahora.

Sin embargo, también hay otros días. Cuando el sol brilla. Calles limpias, en las que vive gente rica y el conductor va despacio como una tortuga. No tiene prisa. Adnan y yo tenemos tiempo de mirar en los contenedores. Adnan me ha enseñado cómo se puede agitar el contenedor de forma que lo de abajo se vaya arriba. Entonces miras dentro y ves un montón de cosas de colores. A veces sólo son cajas de colores o bolsas pintadas. Pero uno de esos días sabes que encontrarás algo.

Adnan dice que, en una ocasión, uno de los chicos encontró un estuche con seis cucharillas de plata. Casi nuevas, afirmó él. Sólo estaban algo gastadas en los bordes. Pero en la plata eso no importa. Cuanto más gastada, más valiosa.

En esos días negros, helados, pienso a veces que eso es un cuento. Una historia más que se ha inventado Adnan. Le gusta airear esas historias cuando no tiene nada que hacer. Ya que a veces eran cucharillas y a veces pequeños tenedores, con los que come la gente rica. Él mismo no recuerda exactamente sus historias. Sin embargo, algunos días cuando hace calor y vamos por los barrios de gente bien, estoy sorprendido de lo que tiran los judíos. Juguetes totalmente nuevos. Montones de ropa limpia y planchada. Adnan, en una ocasión, encontró un gorro de piel con orejeras. Todavía tenía pegada la etiqueta de donde fue comprada. Alguien la había traído de Rusia y no se la había puesto nunca. Adnan no se quitó el gorro durante todo el invierno. Yo, en cierta ocasión, encontré una linterna. No funcionaba, pero era roja y brillaba. Las linternas me parecen muy bonitas. No me importó que estuviera rota. A mí ya me alegra una pequeña bombilla o un estuche, sin su contenido. Adnan se ríe de mí por eso. Con un juego de cucharillas me podría comprar, dice, cien linternas. Pero yo no pienso en cucharillas. Busco linternas. Sueño con las linternas que saco de la basura ante los ojos de Adnan, como saca el mago el conejo del sombrero.

Ludmila se ha parado delante de mi cama y contempla mi pequeña liebre de barro, que está colocada en la mesilla. Si, al menos, me tragara la Tierra. No sé qué es lo que piensa. De pronto, la pequeña liebre me parece un pegote sin forma, y además, con sus tontos ojos violeta, que te miran de una forma tan extraña. Lamento ya el haberle pintado esos ojos. Me gustaría esconderme con la pequeña liebre debajo de la manta. Sin embargo, Ludmila sonríe. No estoy seguro, pero tengo la impresión de que ella ve en el pequeño animal lo mismo que yo. De lo contrario, ¿por qué iba a sonreír? Quizá vea la pequeña liebre que está escondida, la pequeña liebre que no ha conseguido salir del pegote de barro. Ludmila me pregunta: —¿Puedo? —y levanta con cuidado la pequeña liebre con ambas manos y la mira desde todos los lados. Como a una obra de arte. Después, la acaricia. Veo cómo los padres de Ludmila siguen todos sus movimientos. Están un poco retirados y sonríen. Pero eso no es nada especial, pues es gente que siempre sonríe.

De pronto, le digo: —Llévatela —y rezo para que Zachi no me oiga. Susurro, pero Ludmila me ha entendido bien. Lleva a la pequeña liebre hasta su cama y la coloca con cuidado sobre su mesilla.

¿Ves? En un momento, todo es negro y al siguiente, incluso a Ludmila le gusta mi pequeña liebre. Le gusta tanto que quiere tenerla muy cerca de ella, sobre su mesilla. Quizá, al final, yo no termine en el agujero de las serpientes, donde el demonio juega con uno.

15

Por la mañana, me despierta un suave gimoteo. Veo a Miki acurrucada debajo de su cama, la cabeza apoyada en las rodillas.

Jonathan me susurra que esta vez es definitiva. Su padre viene a visitarla. Ya no ayuda ningún llanto ni ningún grito.

Verdina está impaciente. —¡Es tu padre! —dice insistentemente.

—¡Que venga Félix! —gimotea Miki.

Eso enfurece más aún a Verdina. —Félix tampoco te puede ayudar, Miki. Es tu padre y él tiene derecho a verte.

Así que aquí también se les agota la paciencia. No todo es barro para modelar y *split* de chocolate. Mejor me acurruco en mi cama. Tengo miedo como el primer día. Sólo confío en que Verdina no se dirija a mí. No con esa voz, que duele más que los golpes.

Hay inquietud en la habitación. Se retrasa la toma de temperatura y en el desayuno han olvidado el bollo. Y yo que pensaba que aquí era como en el paraíso. Y no sabía que Verdina también puede enfadarse. Vienen a hablar con Miki. Corren y descorren la cortina. Aunque Miki ha salido de la cama, su aspecto no ha mejorado. Está sentada sobre su cama sin decir nada, como si quisiera romper de nuevo a llorar. Lo peor es cuando no se sabe qué va a suceder al momento siguiente, no saber lo que enfurece y tranquiliza a las personas.

Me viene a la mente el primer registro de nuestra casa. Yo tenía entonces cinco años. Vinieron tres. Ya no recuerdo sus caras ni lo que dijeron. Sólo sé que abrieron el armario donde mamá guarda las mantas y vieron que Fadi estaba jugando dentro. Estaba sentado allí dentro, como si fuera su casa. Mamá intentó sacarlo, pero él se puso a gritar. Se había quedado enganchado por una pierna y no conseguía liberarla. Y cuanto más pataleaba, más se enganchaba. El soldado le dijo a papá que lo sacara de allí, pero papá tampoco conseguía liberarle el pie. Todavía oigo el grito ensordecedor de Fadi y veo a los soldados con los fusiles. Pero lo peor es ver así a mamá y a papá. Como si les hubieran recortado las alas. Se miran y ven cómo el abuelo se golpea la cabeza contra la pared. También Fadi ve lo que sucede. Coge bolas de alcanfor y se las tira a mamá, a papá y al abuelo, mientras sigue gritando con todas sus fuerzas.

De pronto, Miki sale corriendo de la habitación y todos detrás de ella. Primero Zachi, seguido de Jonathan y, después de un momento, también Ludmila con sus zapatillas bordadas. Me quedé solo en la habitación. Oigo gritos en el pasillo, carreras y jaleo. Lloros. Después se hace el silencio. Estoy sentado en mi cama. La habitación tiene un aspecto extraño sin niños. Una habitación de hospital. Así fue el primer día cuando yo, de tanta confusión, no vi a los niños. De pronto, me da pena de mis padres. De mi abuelo, de Bassam si ya ha regresado de Kuwait, e incluso de Navar me da pena. Están en la aldea y no pueden salir, y yo estoy aquí. Ellos están todo el tiempo sentados ante la radio y la televisión, que, de todas formas, no dice lo que sucede. Lo que verdaderamente sucede lo averiguas, a veces, por el vecino o por el conductor del autobús. No sé si es el toque de queda u otra cosa. O si se quedan en casa y no pueden ir a trabajar, o no es posible salir de la aldea porque los puestos militares no lo permiten. Quizá escasee ya el pan y la leche. Quizá haya de nuevo rumores, que cambian constantemente, y la gente corre a comprar pan. Estarán en largas colas delante de la panadería. Delante de la tienda de comestibles. Y yo estoy aquí acostado y me traen la comida a la cama. Me avergüenzo de estar aquí acostado como el hijo de un pachá, como dice siempre mi abuelo.

Jonathan entra corriendo, empujando delante de sí una silla de ruedas. No puede pararla y va a golpear, según viene, contra mi cama. —Ven —me dice y me ayuda a bajar de la cama y a sentarme en la silla. Dejo que haga lo que quiera. Quizá me lleve a Marte. Pero sólo me lleva hasta el final del pasillo, donde Zachi y Ludmila ya nos esperan.

Todos están muy callados. Miro a Zachi. Está más serio que de costumbre. De pronto habla en un tono susurrante. No me mira, pero sé que también se dirige a mí. No sé cómo ha sucedido pero, de golpe, nosotros, los niños de la habitación número seis, nos hemos convertido en un verdadero grupo. Todos están ahora muy serios. Zachi tiene un plan, que nos explica. Como una banda secreta. Como si todos nos hubiéramos propuesto la misma meta en nuestra vida. Miki se ha escondido en el cuarto de la ropa. Todo el personal la busca. Miki está en peligro y nosotros, delante de los ascensores, no vamos a permitir que alguien la encuentre.

—¿Qué podemos hacer? —pregunta Ludmila. Sus pestañas son largas y claras como las de una princesa. Su voz tiembla. Zachi la hace callar con un movimiento de mano. Las princesas no tienen nada que decir en este momento.

—Entonces di tú lo que te propones —le apremia Jonathan.

—Nos quedamos aquí, delante de los ascensores y, si viene el padre de Miki, no nos movemos. Nos quedamos pegados al suelo como chicles hasta que se le quiten las ganas.

No lo puedo creer. ¿Es éste el mismo chico que se pasa el día saltando sobre su cama como una cabra? Zachi mete la mano bajo su pijama y sujeta bien la bolsa, para que no se tambalee. Como un luchador, que comprueba su arma bajo el capote. Mira continuamente hacia Jonathan, como si fuera su brújula. Jonathan no habla. Pero su silencio también le da fuerzas a Zachi. No desvía su mirada de él.

—¿Y cómo sabremos que es su padre? —pregunta en voz baja Ludmila.

No da la impresión de que ella tenga el aspecto de un chicle pegado a otra persona; me parece que preferiría renunciar a esa aventura. Sin embargo, Zachi no se asusta de nada. Ni siquiera contesta a su pregunta.

—Yo me ocupo con Ludmila de este ascensor —le dice a Jonathan, como si los dos fueran de la misma opinión de que Ludmila, efectivamente, es Ludmila y ahora no se podía cambiar nada con respecto a eso, alguien tenía que quedarse de vigilancia con ella. Y como alguien acostumbrado a ordenar, continuó: —Tú te haces cargo del ascensor del personal, Jonathan. En caso de que él venga por el otro extremo.

—¿Y qué pasa con Samir? —pregunta Jonathan precipitadamente, como si ahora no pudiera perder ni un segundo.

—¡Llévatelo contigo! —dice Zachi, aunque sigue sin mirarme. Por unos instantes, me recuerda a un piloto de la serie de los americanos en la guerra: Cómo habla por radio y mira a lo lejos con sus fríos ojos azules.

Jonathan corre hacia el segundo ascensor y empuja mi silla de ruedas delante de él. Corre conmigo pasillo adelante, con la cabeza agachada. Como si nos persiguiera un jeep con soldados. Oigo disparos en el aire.

Adnan grita: «¡Huye! ¡No te detengas! ¡Por los tejados!». Él corre delante. Yo detrás, pero mis piernas ya no me obedecen. Tengo la impresión de que Fadi también estaba en la calle. Ya no estoy seguro. Creo que lo vi allí jugando. «¡No mires hacia atrás!» grita Adnan, se da la vuelta y me empuja con todas sus fuerzas hacia adelante. Pero miro hacia atrás. La callejuela está vacía. Zachi ni siquiera me miró cuando habló conmigo. Pero ahora yo estoy en el grupo. Todos somos como jóvenes leones. ¡Que Alá bendiga a nuestras madres, ya que él les ha dado hijos varones! Juntos con los buenos contra los malos. Decididos determinantemente. Por la justicia. Por la libertad.

El ascensor baja y vuelve a subir. Las enfermeras y los celadores entran y salen. Sacan camas con ruedas, que empujan delante de nosotros. Jonathan se sienta en un banco y observa a la gente. Intento imaginarme al padre de Miki, saliendo precipitadamente del ascensor con una botella en la mano y una gigantesca cicatriz en la frente.

Ya ha pasado una hora, seguro. Verdina viene por el pasillo. No habla con nosotros. Ni siquiera nos mira. Como si fuéramos aire. Félix ya nos ha llamado dos veces para la comida del mediodía. Me viene a la mente Miki, sola en el oscuro cuarto de la ropa. Y me viene a la mente Fadi, que está en la oscuridad de la tierra. Tiene el aspecto de un pequeño bebé.

No recuerdo cómo vino al mundo Fadi. Yo era demasiado pequeño. En mi primer recuerdo, él tiene quizá un año. Yo tenía tres. Mamá le cambia los pañales en una mesa baja. Está desnudo y sus piernas patalean en el aire. Sobre la mesa, hay un tiesto con orégano y su olor se mezcla con el del pañal. Un rayo de luz, que se cuela por la ventana, baila en la cara de Fadi, que gira la cabeza y cierra los ojos para evitar la mancha de luz. Lo han bañado. Su pequeño rostro brilla y sus rizos son suaves como la seda. Está fresco y despierto como un polluelo que termina de salir del cascarón. Mamá le da un beso en la oreja y él se ríe. Siempre que pienso en él, cómo está en la oscuridad, vuelve a ser de nuevo un niño recién bañado con una mancha de luz danzarina sobre su cara.

Vemos a Zachi y a Ludmila con un hombre desconocido delgado, con sombrero. A través de la puerta de cristales, les vemos hablar con el hombre en la sala de espera, como si lo conocieran desde hace tiempo. El hombre tiene una bolsa con manzanas y les ofrece a Zachi y a Ludmila, que cogen una. Zachi, Ludmila y el hombre comen manzanas y hablan entre ellos. Zachi nos hace una señal para que vayamos. Jonathan entra el primero, yo tras él. Muevo las ruedas de la silla con las manos y me desplazo solo.

—Es el padre de Miki —dice Zachi tan ceremoniosamente como si presentara al rey de Jordania—. Busca a Miki.

Así que no movernos como si estuviéramos pegados con chicle. Así que amargarle la vida. Jonathan está todavía más decepcionado que yo. Tiene abierta la boca delante del hombre y no es capaz de decir una palabra. La verdad, el hombre no tiene el aspecto que habíamos imaginado. Delgado, ligeramente inclinado hacia delante. No lleva ninguna botella con él y tampoco da la impresión de encontrarse borracho. Está afeitado, lleva una camisa limpia y el pelo recién cortado. Buen trabajo, diría mi padre. Pero lo más importante: Sus ojos miran amablemente. No hay ninguna malicia en su mirada.

—¿Harías el favor de llamarla? —pregunta Zachi amablemente a Jonathan, que mira primero a Zachi, después al padre de Miki, finalmente a mí, de nuevo a Zachi y no se mueve del sitio.

—Entonces iré yo —se decide Zachi voluntario—. Mientras tanto, esperad aquí.

Antes de que nadie pueda contestar, corre hacia el cuarto de la ropa.

El padre de Miki saca del bolsillo una bolsa con frutos secos y nos ofrece a todos. Ludmila dice: —No, gracias. —sin embargo, el padre de Miki insiste y le mete algunos en el bolsillo de su albornoz. Después se acerca a Jonathan y a mí, nos acaricia el pelo y nos reparte sus frutos salados. Y cuando Zachi y Miki llegan, se apresura hacia ella y la abraza tan fuertemente como si hubiera recuperado de nuevo a una hija después de muchos años de fatigas y sufrimientos. La acaricia y no consigue tranquilizarse. También Miki da la impresión de ser feliz. Está todo el tiempo callada, pero lo mira como si solamente hubiera estado esperándolo durante todos aquellos días. Me imagino lo bello que tiene que ser perdonarlo y desprenderse de todo el odio. Tener de pronto un nuevo papá. Solamente para uno.

Los dejamos solos en la sala de espera y nos separamos cada uno por nuestro lado. Se había terminado el grupo con una meta común y ser el héroe. De nuevo Zachi no habla conmigo ni una palabra.

16

No debo pensar más en el hermano de Zachi. Me tengo que deshacer de este odio. Si quiero que me operen antes de que el médico regrese a América, tengo que dejar de pensar en el hermano de Zachi. Y de que él estuvo en lo de Fadi. Entonces también me bajará la fiebre. ¿Pero, cómo se puede no pensar intencionadamente en algo? Adnan dice que si piensas en el demonio, él viene y si no piensas en él, también viene. Siempre pensé que tenía que aceptar a Adnan como es, con todo lo que dice, aunque a veces resulte más insoportable que mis zapatos: jamás encontraría a un amigo mejor. Aunque diga cosas como que yo siempre le traigo mala suerte. Yo pensaba que tenía que soportarlo sin decir nada. Ahora ya no estoy tan seguro. Pues Jonathan me da todos los días sus croquetas, su pollo o su filete o como se llame y no le da ninguna importancia; tampoco me pregunta siete veces al día sobre qué es lo que me falta en la vida desde que él es mi amigo.

En una ocasión, por la noche, Jonathan me reveló que ni él ni su padre comen carne. Ya que ni los pollos, ni las terneras ni los patos ni los cochinillos tienen la culpa de que nos hayamos hecho dueños de la Tierra y que, precisamente, nos guste tanto comerlos que matemos una cantidad inimaginable de ellos. Incluso habría animales de los que sólo viven unos pocos y que están amenazados de extinción. Y todo animal que se extingue, dice Jonathan, nos debería dar lástima porque se han necesitado miles de millones de años para que hubiera tal diversidad de especies. Sólo que no entiendo una cosa: ¿Cómo salva él esas especies cambiando las albóndigas de su plato al mío? A lo que Jonathan dice que si todos vivieran como su padre y él, no necesitaba morir ni un solo animal en el mundo. En eso le puedo tranquilizar. Por el poquito de carne que comemos nosotros en la aldea, no debería de preocuparse de los animales. A ese ritmo, no les puede pasar nada y podrán seguir desarrollándose tranquilamente en todas sus especies, como Jonathan y su padre desean.

Aquí en el hospital, con los judíos, todos los días como carne y pienso que lo que más me va a costar es tener que renunciar a la lata de carne que hay en el *Sabat*. Antes yo comía mucha de esa carne, cuando organizábamos estupendas comidas con amigos con las conservas de los militares, después de que Adnan fuera puesto en libertad.

Adnan había vendido latas de carne de los militares en el mercado. Se las había dado Rafif, la mujer que vive al final del bazar, y a ella se las habían dado los militares que, a veces, iban por las noches a su casa. Rafif le había dicho: «Por cada diez latas que vendas, una es para ti». Adnan fue a ver al comerciante de pollos y le dijo: «Te desplumaré diariamente los pollos pero hazme el favor de que si ves a alguien que quiere latas de carne, envíamelo». Y así ir vendiendo una lata tras otra. Pero, ¿qué clase de negocio era ése? Llevaba ya tres días pelando pollos antes de que fuera a verlo el primero y le comprara una lata.

Se dio la casualidad de que precisamente en la noche del tercer día, pasé a verle y en ese momento aparecieron soldados y comenzaron a buscar entre los pollos. Así encontraron las latas de Adnan y, de nuevo, pudo afirmar que yo le había traído la desgracia.

Sea como fuere, detuvieron a Adnan y le hicieron muchas preguntas, también le golpearon, y Adnan dijo: «Me las ha dado una mujer en la calle. Pero no sé cómo se llama ni tampoco dónde vive». Habrían terminado con él por intentar reírse en sus propias caras, si no hubiera llegado su madre y lo hubiera sacado de allí por mil *shekels*. Así fue cómo Adnan regresó con su madre a casa y las latas de carne volvieron a manos de los soldados, que de nuevo podían ir a visitar a Rafif.

Pero también Adnan fue a ver a Rafif y le contó lo que había sucedido, cómo los soldados le habían quitado todas las latas de carne. Exageró, como suele hacer, y dijo que antes habría muerto que revelar su nombre. Rafif le hizo un té, le dio dinero, lo elogió y le pronosticó que, con su corazón de oro, llegaría lejos. Sin embargo, Adnan no es un asno y tampoco una mula. Antes de ponerse a vender las conservas, había enterrado tres bajo la morera. Y así sucedió que, después de que Adnan me hubiera maldecido de nuevo, porque, al parecer, le traía mala suerte, organizamos una comida detrás de la plaza. Fue cuando papá todavía me permitía ir allí después de la puesta de sol.

Lo que al final hizo que me bajara la fiebre, de eso estoy completamente seguro, fue una de las noches en que Jonathan y yo permanecimos despiertos para mirar las estrellas. Estaba acostado y sudaba por los efectos de la pastilla que Verdina me había dado antes de dormir. En un momento tenía calor y al siguiente frío. Me tapé con la manta hasta el cuello y temblaba de frío. Eso es el Polo Norte, dijo Jonathan. Entonces comencé a sudar, tiré la manta al suelo y desabroché mi pijama. Ahora, dijo Jonathan, estás en el desierto del Sahara. De pronto, abandonó su posición de vigía en la ventana, se sentó sobre mi cama y dijo, en aquel tono de voz serio que siempre me sorprendía: —Sabes, Samir, tu problema es que vives todo el tiempo en *este* mundo —lo dijo completamente normal, como Adnan diría: «Sabes, Samir, tu problema es que no sabes distinguir entre colillas de Malboro y cagarrutas de cabra».

—Hay también otro mundo —me explicó Jonathan, jamás había oído yo algo así— y tú puedes pasar una parte de tu vida en este y la otra en el otro mundo. Nadie te obliga a pasar toda tu vida precisamente en este mundo con todos los demás. Supongamos que tienes fiebre, entonces vas al otro mundo y allí vives sano y sin molestias.

Estaba descalzo, sentado en mi cama, jugueteaba con su delgada coleta y ni siquiera sonreía ante lo que había dicho. Yo ya sabía que Jonathan no contaba simplemente historias, como Adnan. Todavía no había conseguido descubrirlo con una historia sacada de la manga. Aunque sus historias a veces suenen como los cuentos de las «Mil y una noches», las lee en libros serios. Y su padre trabaja con las estrellas y sabe lo que hace. Pero todo lo que hasta ahora había contado, estaba relacionado con nuestro mundo. Jamás había hablado de otro mundo. Yo no sabía por dónde empezar a preguntar, solamente estaba sorprendido por su descubrimiento, del que hasta ahora yo no había sabido nada.

—Supongamos que tú te has roto la pierna y estás obligado a guardar reposo en la cama —siguió explicando— o tu brazo no está bien y no puedes hacer uso de él o tienes cualquier otro problema, entonces te levantas y vas al otro mundo y nadie a tu alrededor se da cuenta. Sucede que los adultos no conocen ese mundo. Y si hay unos pocos que ven ese mundo, entonces o no lo quieren aceptar o están tan ocupados con este mundo que, simplemente, no lo tienen en cuenta. De esta forma vives con ellos y ellos piensan que tú estás siempre con ellos, pero eso no es en absoluto cierto. Tú puedes, en un abrir y cerrar de ojos, irte al otro mundo y nadie, excepto tú, se da cuenta de nada. Eso te proporciona libertad. Pues en el otro mundo tú no le debes nada a nadie. No tienes que explicarle nada a nadie, no necesitas ninguna disculpa y tampoco inventarte alguna. Allí solamente haces lo que verdaderamente quieres.

Miro a este Jonathan y me siento totalmente confuso. Quizá haya algo de cierto en lo que dice. ¿Quizá él lo hace así? ¿Está, en realidad, en otra parte mientras aparentemente está con nosotros? De pronto, descubro multitud de pequeñeces que hasta ahora yo no había tenido en cuenta: Pienso en su tranquilidad, que a mí me parece proceder de otro mundo. Y en las muchas horas en que no se le oye. Entonces está acostado en la cama a mi lado y en realidad no está allí. Lo poco que habla conmigo durante el día y menos aún con los demás niños. Quizá durante el día no está aquí, quizá sólo vuelve por las noches. ¡Quién sabe!

—Quizá tú quieras decir algo así como en un sueño —digo después de un largo silencio—.Tú te vas a pasear a otro mundo y todo sucede en sueños. —Intento explicárselo y más bien me lo explico a mí mismo. No sé.

—Como en un sueño —repite Jonathan lo que he dicho y se pasa la mano por la rubia pelusa de su cabeza, que, por unos instantes, queda lisa pero al momento se levanta y de nuevo tiene el aspecto de un polluelo desplumado—. Sí, como un sueño, pero claro, de verdad. No uno de ésos que sólo se sueñan. Sino uno que verdaderamente existe —dice Jonathan.

—¿Qué ves en ese otro mundo? —le pregunto. Ahora lo entiendo aún menos que antes.

—Millones de cosas —dice, pero eso no me aclara nada. No cejo.

—Dime solamente una —si Adnan estuviera aquí, habría preguntado algo así.

—A veces veo a una chica que busca una llave —comienza Jonathan—. Llama a las puertas y detrás de ellas encuentra a toda clase de seres. Si ellos quieren, la ayudan, si no, no. Va por oscuros bosques y navega por ríos peligrosos. Encuentra toda clase de animales, en parte temibles en parte tristes, pero, para poder luchar contra los tenebrosos animales, necesita fuerza y esa fuerza sólo la hay en una tienda especial, que primero tiene que encontrar y eso no es tan fácil. En el camino, hay engaños y obstáculos. En la tienda, hay que saber lo que uno verdaderamente quiere, y además hay un prospecto en inglés y hasta que uno consigue descifrarlo totalmente, casi que ha renunciado ya. Pues en la tienda hay distintas clases de fuerzas: la de la espada de dragones y la maza gigantesca, el caballo alado, con el que eres muy veloz, y las botas de las siete leguas...

—¿Y qué haces tú allí? —le interrumpo, porque ahora se dispara hablando y recupera todas las horas que ha callado.

—Ayudo a la chica. La acompaño a través del laberinto, a través de cuevas y bosques y me rompo la cabeza pensando cómo encontrar la llave que la llevará al aeropuerto, desde donde podrá volar hacia el País Verde. Mientras tanto, escucho todo el tiempo música triste de flauta, una melodía sin ninguna esperanza, mientras no hayamos encontrado la llave.

—¿De dónde viene esa melodía? —pregunto y temo que Jonathan quizá me considere tonto por eso. Hasta ahora no sé de qué habla.

—Del ordenador —dice Jonathan—. ¿Qué habías pensado? Pero al final la melodía cambiará convirtiéndose en un tañido de campanas, como si alguien hubiera colgado muchas campanas de los árboles en el bosque y se mecieran en el viento.

Se acerca todavía más y me mira profundamente a los ojos. Susurra: —Espera hasta que mi padre me traiga el programa. Entonces los dos podremos ir allí.

No sabía qué significaba «programa» y me resultaba desagradable preguntarle. Pero daba lo mismo. Estaba totalmente convencido de que Jonathan me había revelado su secreto más personal. Quizá hubiera de verdad otro mundo y él me mostraba el camino hacia él. Sería mejor, entonces, pensar en un mundo así que en una fosa de serpientes. Eso estaba claro.

Jonathan se levantó, se colocó a los pies de mi cama, entre la estrecha ranura de mis piernas y las rejillas del catre, miró hacia fuera y entonó en voz muy baja una melodía triste. Era la melodía de la flauta, que sonaba como si no hubiera ninguna esperanza. Pero al final, cuando él encontrara la llave, se convertiría en un repique de campanas de todos los tamaños.

A la mañana siguiente, desperté sin fiebre. Yo no sabía si venía de la melodía de la flauta o de las campanas, o de que Jonathan me había confiado, tan suave y tranquilo, su secreto.

17

Las horas que precedieron a la operación las tengo en un nebuloso recuerdo. Apenas tenía miedo. Solamente una parte oculta, casi olvidada, de la cabeza continuaba martilleando suavemente. De nuevo, me llevaron en mi cama rodando por el pasillo. Estaba tendido en una cama y mi cabeza flotaba. Era una sensación parecida a la de entonces, cuando fumé por primera vez con Adnán, detrás de la plaza, donde los chicos antes jugaban al balón.

Adnan se había buscado precisamente la morera al final de la plaza. Quería que yo fumara mi primer cigarrillo precisamente en ese árbol. Como si no fuera suficiente con que fumara. Así que tuve que subirme al árbol y sentarme allí, como un mono. Igual. Adnan partió en dos trozos el Malboro que le había robado a su tío. Dijo que se lo había dado su tío, pero conozco a Adnan. Con él, ni siquiera uno puede estar seguro de que él, en realidad, tenga un tío. Y si tiene uno, queda la pregunta de si fuma. ¿Y por qué, de pronto, le iba a dar un cigarrillo a Adnan? ¿Y por qué precisamente un Malboro? Sea como fuere. Adnan partió el cigarrillo y cogió para él la parte con filtro. También tenía un encendedor. No dijo que se lo hubiera regalado su tío. No dijo nada del encendedor. Se encendió su parte de cigarrillo y tragó el aire como un experimentado adicto al tabaco. Solamente después me encendió mi parte.

Aspiré el humo, pero lo eché inmediatamente. Adnan no estaba contento conmigo. Me mostró cómo se tragaba el humo: «Si desde el principio no tiras del humo hasta los pulmones», me pronosticó mi oscuro futuro, «entonces, toda tu vida, solamente malgastarás los cigarrillos». Seguía cada uno de mis movimientos como un profesor. Yo no tenía otra alternativa. Metí el humo en la boca y aspiré profundamente: Un cuchillo afilado me recorrió desde el cuello, a través de todos los conductos, hasta el final del estómago. Intenté con todas mis fuerzas contener la tos. Casi se me vuela la cabeza. Y yo seguía sentado en aquel árbol. Me agarro fuertemente a una rama y rezo para que el árbol deje de temblar. No sé cómo terminé de fumarme ese medio cigarrillo. Pero no podía dejarlo antes. Tiraba del humo, con cada vez más largos intervalos, y lo echaba inmediatamente. «Echar humo», llamaba Adnan a eso. Él ya había terminado su parte del cigarrillo, lo apagó contra la suela del zapato y lo arrojó con dos dedos, algo que yo todavía tengo que aprender sin falta cuando esté solo, y me miró como un asno diplomado. «No sé por qué malgasto aquí mis cigarrillos» dijo cuando, por fin, nos bajamos del árbol.

Desde entonces no he vuelto a estar con Adnan en el árbol. No por lo de fumar, sino porque mi padre no me deja salir a la plaza desde que, unos días antes del Ramadán, sucedió lo de Fadi.

En el quirófano, el techo brillaba negro. Se encendieron luces intensas y toda la gente llevaba ropa verde y máscaras delante de la boca y de la nariz. No podía reconocer quién de ellos era el médico americano. Me preocupaba un poco, ya que si había hecho el largo camino desde Chicago, me hubiera gustado que fuera él el que verdaderamente me operara. Conozco a los médicos americanos. No he conocido nunca otros, pues en la serie de televisión, que viene después de las noticias los lunes por la noche, sólo son americanos. Incluso me tranquiliza un poco cuando tenemos toque de queda.

A veces sabemos que hay toque de queda porque los militares van a dinamitar una casa. Entonces nos quedamos sentados en casa, pero no tenemos ni idea de cuándo la dinamitarán. Mamá intenta convencer al abuelo de que se tome un vaso de *arak* para que se duerma rápidamente, pero él insiste en estar con nosotros y en fumar sus cigarrillos. Todos nosotros ya sabemos lo que sucederá si él oye la explosión, cómo se enfurecerá. Papá intenta pegar la ventana grande. Ya tiene una grieta. Sólo Alá sabe cuánto aguantará todavía ese cristal. Papá lo pega cuidadosamente con texafilm, pero el abuelo tiene el oído de un gato montés. No se le oculta nada de lo que sucede en la habitación. Está sentado como un zorro, atento a todo. Durante esas horas, incluso deja de toser para poder oír mejor.

A veces, en secreto, deseas que dinamiten ya, con tal de que terminen cuanto antes. Entonces ya no piensas en la familia y en los niños a los que pertenece la casa. Sólo quieres que ese silencio pase. Es peor que el ruido más grande.

La gente en la televisión corre de un lado para otro siempre en bata verde, pero las doctoras más inteligentes están siempre tranquilas y casualmente son siempre muy guapas. A pesar del estrés y del exceso de trabajo, siempre tienen tiempo para una sonrisa, independientemente de que se trate de una vieja mujer solitaria o de un cowboy que, a pesar de ser siempre tan valiente, tiene mucho miedo ante una operación y ni él mismo lo sabe. El jefe médico es como un padre para todos, le da a uno un consejo en el momento correcto, a otro un elogio y a las mujeres les acaricia la cabeza. Siempre me ha tranquilizado que haya en el mundo gente como esa.

Uno de esos verdes me quitó la ropa y me ayudó a ponerme una bata blanca, que se cierra atrás. Yo estaba tan confuso que ni siquiera me avergoncé. Me sentí como un bebé, al que se le hace todo para que no se preocupe, al que todos tienen que sonreír para que esté contento con ellos. Menos mal que Zachi no me vio con la bata.

—Te vas a dormir enseguida, Samir —dice uno de los verdes—. Cuando despiertes de nuevo, la operación habrá pasado ya—. Me pone una inyección. Sus manos son como las de un hada, pues no noto nada. Más bien al contrario, con la inyección es como si mi corazón se ensanchara, la sangre se calienta y corre tranquila hacia todos los lados donde tiene que ir a parar. Veo sobre mí los ojos del médico, que me sonríen. Es él. Estoy seguro de que es él. Creo que detrás de la máscara, mastica chicle. Ahora estoy tranquilo.

—Ahora, cuenta —me dice el médico o quizá ha sido una de las enfermeras. Se parecen unos a otros como los hijos de una misma madre. Todos están aquí por mí, están alrededor de la cama y me miran.

Comienzo a contar. En esta habitación, los números árabes tienen un extraño sonido. Aquí, los números me pertenecen sólo a mí. A nadie más en esta sala. Es una lástima que sólo sepa contar en inglés hasta nueve. Si supiera contar en inglés, quizá me contrataran como actor para la serie de televisión. Nunca sabré hasta dónde llegué contando. De un número a otro, me iba sintiendo más tranquilo. Durante unos instantes pensé también qué sucedería si no despertaba más. Y todavía un retazo de pensamiento de que, en caso de que muriera, me secuestrarían del hospital, lo mismo que robaron el cadáver de Fadi, pero nunca me han explicado por qué. Eso ha quedado dentro de mí y, a veces, me martillea en la cabeza, como todas las cosas que no entiendes y las dejas dentro de ti. Te dices que quizá un día las comprenderás, pero aun así no estás tan seguro.

Hay demasiadas cosas que nadie comprende y eso no tiene nada que ver con tu edad. Garantizado que no. Tampoco tu padre o tu abuelo saben más que tú de esas cosas. Mi abuelo dice: «El barullo en el mundo es demasiado grande. Una persona sencilla, que no sea especialmente inteligente, ya no puede distinguir dónde está la verdad detrás de todo lo que se dice». Así, por ejemplo, nadie puede exactamente decir quién fue el que disparó a Alí, el hijo de nuestros vecinos, en el momento de meter un gol en el campo de fútbol. Cuando saltaba de alegría, inmediatamente después del gol, y todos sus amigos lo abrazaban, alguien apuntó con su fusil hacia él y apretó el gatillo. Nunca puedes saber dónde te alcanzará la bala. Esperas un partido de fútbol y, en su lugar, recibes un balazo, dice mi abuelo. Y ya no sabes si disparado por los soldados o por vengadores palestinos o por soldados que se hacen pasar por vengadores o por aquellos que hacen como si fueran soldados camuflados de palestinos. Con esa confusión, estoy solo en mi cama. La confusión se hace cada vez más pesada y me arrastra hacia abajo. Me hundo así lentamente, desaparezco de la habitación, junto con mi cama, en un lugar lejano y tranquilo.

18

Quizá tuvo que ver con la anestesia el que soñara un sueño tan largo, el más largo de mi vida. Normalmente cuando duermes por la noche y has terminado con un sueño, te das la vuelta y quizá sueñes el próximo o te despiertes por un momento y descansas un poco. Pero bajo la anestesia, no te puedes dar la vuelta y tampoco despertar hasta que ha pasado el efecto del narcótico, y así sigues soñando, también tienes que seguir cuando ya no tienes fuerzas. Probablemente de ahí venga que todo el tiempo estuve caminando con mi abuelo, un largo viaje que no quería terminar, por caminos que yo no conocía, a través de aldeas y ciudades que jamás había visto, en un reino que abuelo llama Samarkanda.

Vamos de aldea en aldea, atravesamos lugares con ríos azules y en los que navegan pequeños barcos, escalamos montañas cubiertas de nieve y nos lavamos en el agua de las cataratas. Después llegamos a una ciudad blanca, que llega hasta el mar, vamos por sus calles y contemplamos las tiendas, en las que hay todas las maravillas que crecen en el país. En medio de la ciudad, hay jardines colgantes con auténticos manantiales y en los mercados hay verduras y frutas que jamás hemos visto. Nadie nos saluda. No conocemos a nadie en ese país. Al final de una calle, desde donde se puede mirar hacia el puerto, se yergue una torre con un gran reloj y, al lado, un banco. Nos sentamos en él y el abuelo me cuenta que él ha sido rey.

Lo miro. Sus ropas no parecen las de un rey. Viste ropas gastadas y rasgadas. Asustado, me miro mi propia ropa, también andrajos. Me sorprende que no me hubiera llamado antes la atención. La tarde ya oscurece. Me siento muy cansado por la larga caminata y también hambriento y sediento. Pregunto al abuelo dónde vamos a comer, a beber y a dormir, pero él no me contesta. Le pregunto si no conoce a alguien en este país que nos acoja por una noche, pero el abuelo no conoce a nadie aquí. ¿Cómo puede haber sido rey de un país donde no conoce a nadie? No me atrevo a preguntar. Espero. Confío en que, finalmente, alguien nos ayudará. Seguimos andando, siempre adelante, y no llegamos a ninguna parte.

El abuelo tiene un aspecto muy triste. Más que todo su cansancio y el hambre, se ve que arrastra consigo un gran pesar. Está tan triste que ya no puede preocuparse del hambre y del cansancio. Triste y abatido, camina y no me mira ni una sola vez a los ojos.

Llegamos a una gran plaza en medio de la ciudad, donde hay un palacio. Está construido con piedras blancas y tiene muchos pequeños minaretes y torres. En las torres, las banderas ondean al viento, una orquesta toca el himno del reino y la guardia real custodia con sus armas la entrada al palacio, cuyo dintel no puede pisar ningún extraño. De pronto, hay un tumulto en la calle. La guardia trae el palanquín de la princesa y uno de ellos tropieza, de forma que la princesa casi se cae. Se busca a un mozalbete que pueda ocupar el lugar del guardián.

Le digo al abuelo que voy a probar mi suerte y que voy a ayudarles a transportar a la princesa. Quizá después me den algo de dinero. El abuelo se pone furioso.

Eso no sólo sería una tontería, sino también algo indignante. Sería inimaginable que alguien de nuestra familia, la antigua familia real, se ganara la vida con desconocidos como portador de bultos. ¡Qué humillación, qué vergüenza! Pero yo sigo insistiendo tranquilamente. En definitiva, el trabajo no es una vergüenza. En definitiva, no íbamos a pedir limosna. Lentamente, cede. No tenemos otra alternativa. Si no hacemos algo, terminaremos por morir de hambre y sed aquí, en la plaza. En contra de su voluntad, me deja ir. Me uno a la guardia real, levanto por un extremo el palanquín y llevo, junto a los otros, a la princesa al palacio. Dentro todo reluce con una luz suntuosa. La princesa desciende con cuidado, se da la vuelta y se sienta en su trono. Mi mirada cae, de pronto, en sus blancas zapatillas bordadas de plata. En un primer momento, no recuerdo dónde las he visto, pero al contemplar su rostro descubro que es Ludmila.

La princesa Ludmila da una palmada, una señal para que su guardia se aleje y la dejen sola con sus damas de compañía. ¿Qué debo hacer? Si abandono esa habitación con los demás y me guardo mi salario, sería como si me fuera con las manos vacías. Fuera espera mi abuelo, pero ahora más que el hambre, me atormenta la desesperación de sus ojos. Decido jugarme la vida y me quedo. Tengo que hablar a la princesa, cueste lo que cueste. Me disculpo amablemente y le ruego me permita estar un momento a solas con ella para contarle mi historia. Ella se calla y mira indecisa alrededor. Yo hablo como un torrente. Con pocas palabras, la informo de todas las penalidades que sufrimos en el camino hacia aquí, de nuestra hambre y de nuestra sed.

La princesa escucha atenta e intenta tranquilizarme. Ella tampoco ha comido ni bebido desde hace varios días. Pero no me revela el motivo. Estaría dispuesta a ordenar a sus doncellas que nos agasajen a mí y al abuelo. De nuevo me encuentro tan desconcertado como antes. Tengo que decirle toda la verdad, revelarle el verdadero motivo por el que somos extraños en este país, contarle de la profunda tristeza de mi abuelo y de que también él ha sido rey.

Sólo que ahora yo también dudo de ello. Si contemplo a mi abuelo, no tiene el aspecto de alguien que ha sido rey. Más bien, se parece a un cargador del bazar. Sus manos son callosas. Su cara está surcada por el viento y está todo encogido de los cigarrillos. Tengo miedo de que la princesa se ría de mí si la vengo con una historia que suena tan increíble.

La princesa me mira. Se da cuenta de que algo me intranquiliza, pero no sabe qué. Finalmente, me convence para que le revele lo que pesa sobre mi corazón.

Así le hablo de la gran tristeza en los ojos de mi abuelo, de los buenos viejos tiempos, que él conoce de antes, pero no me atrevo a revelarle el asunto del reino perdido. Pero, al parecer, ella entiende más de lo que yo le digo. Ordena a sus doncellas que me traigan comida y bebida y además me den un regalo especial para mi abuelo: Una pequeña alfombra para orar, adornada de perlas. Se lo agradezco, pero no quiero aceptarla, porque estoy seguro de que ni la más maravillosa alfombra podrá borrar la tristeza de los ojos del abuelo.

Sin embargo, la princesa se ríe. Como una campanilla. Me explica que ésa no es una alfombra normal, sino una alfombra mágica que te lleva donde quieras. Incluso se puede volar con ella a Marte. «Si tu abuelo se sienta en la alfombra» dice la princesa «será transportado a los buenos, viejos tiempos». Sus palabras hacen que mi corazón palpite aceleradamente. Le doy las gracias y le digo adiós a la princesa.

El abuelo y yo estamos sentados en la alfombra y volamos sobre el reino y, por un rato, la tristeza desaparece de sus ojos. Me abraza fuertemente, mientras volamos sobre praderas y campos. Me gustaría quedarme para siempre sentado en esa alfombra, sólo con tal de que el abuelo siguiera siendo tan feliz. Apenas si puedo creerlo: ¡Abuelo ríe!. Pero una vez que estuvimos volando todo el día, veo cómo la tristeza regresa paulatinamente a sus ojos. Aterrizamos y, de nuevo, somos desconocidos, de nuevo con andrajos, hambrientos y sedientos. La alfombra mágica ha desaparecido y el abuelo está desesperado.

Decido regresar al palacio. Quizá me dejen entrar. Pediré otro regalo para el abuelo. Quizá entonces le haga feliz para siempre y aleje definitivamente su tristeza. Pero hemos volado por encima de muchas ciudades y aldeas y aquí nadie conoce el país de Samarkanda. Estamos en el país de Bisangra.

Tampoco en Bisangra conocemos a nadie. Nuevamente caminamos hambrientos y sedientos y pasamos por mercados donde se ofrecen todas las delicias del mundo. Nuevamente no tenemos un techo bajo el que cobijarnos. Y, mira por dónde, en una de las calles, al final de esa ciudad, donde incluso las aceras están pavimentadas con piedras preciosas, se encuentra un pregonero del rey y anuncia que la hija del rey está enferma de muerte. Aquel que consiga curarla, recibirá un maravilloso regalo del rey. Así que me pongo a la cola de los adolescentes y de los hombres jóvenes, que quieren ser recibidos en el palacio. La cola es larga. La espera cansa mucho. Espero siete días y siete noches hasta que llega mi turno. Antes que yo, cerca de cien personas han intentado curar a la princesa y no lo han conseguido.

Me conducen a una sala llena de resplandecientes luces azules. En el centro, hay una gran cama, adorna-

da con ramas de olivo y rojas granadas. Allí está acostada la princesa, pálida cual luna llena. Los médicos le han colocado un tubo en el brazo. Respira con dificultad. Me acerco a su cama y veo que se parece totalmente a Ludmila, sólo que su pelo es de color castaño y no rubio.

Hago que preparen una fiesta de cumpleaños para la princesa, hago venir a sus padres y les digo que deben entrar con una tarta de chocolate, que tiene que estar recubierta con un baño de claras a punto de nieve y caramelo. Además, deben traer toda clase de regalos. Al principio, el rey se enfada porque piensa que yo no tomo suficientemente en serio la enfermedad de su hija y no sé lo mal que se encuentra. Sin embargo, cuando él y la reina entran con la tarta (He insistido para que entren cantando y de buen humor), al ver cómo la princesa se incorpora en su lecho, se arranca el tubo del brazo y comienza a comer con ganas, entonces se apresuran a abrazarme. Me dan muchos regalos y me despiden con honores y festejándome.

Mi abuelo ha esperado todos esos días delante de las puertas del palacio. Está muy delgado y totalmente consumido por el hambre, y sus ropas se han vuelto jirones. La desesperación asoma, más profundamente aún, en sus ojos. No se interesa por los regalos que le he traído. Solamente mira un regalo extraño y especial: Un bastón de marfil con un telescopio encima. El que mire a través de él, verá los buenos viejos tiempos. Mi abuelo mira por el telescopio y sonríe. Después incluso se ríe. Me abraza y ríe y llora de alegría. Me deja que mire a través del telescopio. Veo un rebaño de cabras que están bajando por una montaña y a un hombre descalzo con un bastón de caminante y una mochila, que está sentado a la sombra de un viejo olivo y unta placenteramente una corteza de queso en aceite de oliva.

No veo ni palacios ni piedras preciosas y de nuevo dudo de la historia del abuelo sobre su reino. Pero me avergüenzo de no poder creerle. Pongo mi mano en la suya y seguimos caminando en busca del reino perdido.

De nuevo caminamos durante días. Atravesamos lechos de ríos secos y regatos tumultuosos hasta que finalmente llegamos a la ciudad de Shira.

Las calles están vacías en Shira. Los habitantes se esconden en su casa, las puertas de las casas están cerradas. Nadie sale, no se ve a nadie. Vamos de un lado a otro, pasamos por mercados vacíos de personas, dejamos atrás plazas y no encontramos ni a una sola persona. Sólo el viento arrastra hojas secas y una gallina cojea por la calle.

Atravesamos la ciudad muerta hasta que llegamos a la administración militar. El edificio está rodeado de alambre de espino y sus puertas también están cerradas. A la entrada, hay un guardián sentado, que, como no tiene qué hacer, hincha globos. Le pregunto cuándo se levantará el toque de queda. Sonríe de mi ingenuidad y me contesta: «Han sido suprimidas todas las pausas entre los toques de queda». Insisto para que me deje pasar hasta la hija del rey, pero él me mira sorprendido como si no supiera de qué le hablo. Finalmente dice: «Si insistes, te llevaré hasta la oficial». Entramos en el edificio de la administración. En los pasillos, hay largas colas de gente esperando. El guardia me conduce a la habitación más alejada, con las paredes desnudas. Una oficial está sentada detrás de una mesa. Es igual que Ludmila. Sólo que su pelo es negro como un grajo. Intento ver si lleva puestas las blancas zapatillas, bordadas en plata, pero la habitación está tan oscura que apenas si puedo ver algo.

La oficial me mira y me avergüenzo de mis viejas ropas. Pregunta: «¿En realidad, te has duchado y lavado detrás de las orejas?». Me trago esa ofensa, pero no le hablo enseguida de mi hambriento, cansado abuelo. Sin embargo, después de un rato, comienzo a hablar. Quiero contarle sobre el pasado de mi abuelo y de mi padre, de dónde vienen, de las fértiles tierras, de las cabras pastando libremente y del pastor y del viejo olivo. Y sin embargo, no me creo del todo lo que cuento. Y eso lo lee en mis ojos. Me interrumpe secamente y dice: «No tengo más regalos. El que no cree que su abuelo fue rey, se quedará para siempre en este país como cargador al servicio de personas desconocidas». Y llama a la guardia para que me saquen del edificio.

Avergonzado y desesperado, salgo y veo que el abuelo ha desaparecido. Corro por las calles vacías y grito su nombre, pero las calles continúan silenciosas. Todo está en silencio. Ningún ruido. Nadie responde. Levanto los ojos y miro a lo lejos, hacia las montañas. Veo al abuelo, parado al borde del desierto. Lo llamo; sin embargo, él no se da la vuelta. Se pone a andar por el desierto. Quiero seguirle, pero mis piernas no me obedecen y una de ellas está como pegada al suelo...

19

Estoy acostado en una gran habitación con muchas camas y me esfuerzo en mover los dedos de mis pies, pero están como petrificados, como si jamás se hubieran movido. La rodilla duele. Todavía totalmente mareado, por un instante no sé quién soy ni por qué estoy aquí. ¿Qué es esto? Pienso que la rodilla me duele tanto del largo caminar en el sueño. El hombre de la cama de la derecha, a mi lado, se queja. La mujer, al otro lado de mi cama, es tan blanca como un pañuelo de lino. Una mujer joven le da, con un bastoncito con la punta recubierta de algodón, unas gotas de agua. Se acerca también una enfermera hasta el hombre que se queja y habla con él en voz baja. Solamente yo estoy solo aquí.

Me duele todo el cuerpo, especialmente la cabeza. Dos martillos aporrean mi cabeza, en ambos lados. Llamo a mi madre en árabe: —*¡Jamma, jamma!*. —Sé que mamá no está aquí, pero tengo que llamarla. Me parece como si gritara muy alto, sin embargo lo que consigo articular apenas si se oye. Pero tengo que gritar, porque, de lo contrario, me desmayaré. Entonces aquí se olvidarán de mí.

A veces, me duermo por un momento, entonces los dolores ceden un poco. Después vuelvo a abrir los ojos. Ya sólo el mantenerlos abiertos es una lucha. En las cortas pausas de sueño, veo imágenes: Lagos azules como los del primer día en la habitación del médico.

Tiro una piedra y hago que corte el agua varias veces. Eso, lo vi hacer a Adnan en una ocasión, en un gran charco de nuestra aldea. Ahora, por fin, yo también sé hacerlo. Recuerdo mi conversación de entonces con Adnan.

«Yo no he visto nunca el mar», le digo.

«Bueno, ¿y qué?»

«Si viviéramos en la franja de Gaza, por lo menos estaríamos a la orilla del mar».

«Tengo varios tíos en la franja de Gaza» dice Adnan «pero no creas que sus hijos pueden ver el mar».

No estoy seguro de que él tenga familiares allí. Donde le viene bien, tiene algún familiar. Eso es así con Adnan.

«¿Para qué necesitas tan urgentemente el mar?» pregunta Adnan «¿Es eso lo más importante de lo que te falta en la vida? Imagínate que no hubiera ningún mar, ¿de acuerdo? ¿Qué es, en realidad, eso, el mar?»

No puedo explicarle a Adnan qué es el mar. Yo mismo no lo sé.

«Además tú no sabes nadar» dice Adnan. «Si te metes en el agua, te ahogarías inmediatamente».

¿Cómo podía saber nadar si no había visto el mar ni siquiera de lejos? «Sé muy bien lo que me falta» le digo. «Necesito algo grande, sin alambradas ni toques de queda. Algo que sea de todos. Quizá el buen Dios».

Después de callar un rato, Adnan dijo: «El cine de la ciudad que termina de ser cerrado, pertenece a mi primo».

Ahora ya se inventa primos.

«No, de verdad». Adnan lo jura por todo lo que quiere y le es preciado. «Pregunta si quieres. El cine ha pertenecido a mi primo. Cuando yo era pequeño, una noche me llevaron allí. Estuve durmiendo durante toda la película. En la pausa, niños vendían pepitas cocidas de *tur-*

mus. Mi padre salió al pasillo para fumar y yo le acompañé, y él me compró un cucurucho de *turmus* y contemplamos fotografías de la película. Fue la noche más hermosa que puedo recordar. Ahora mi primo ha cerrado el cine, el único cine que todavía estaba abierto. Nadie va al cine, porque ya no sale nadie de casa por la noche».

«¿Y qué tiene que ver eso con el mar? pregunto.

Estamos los dos sentados en la oscuridad, al lado del charco. No podemos ir a ninguna parte y no tenemos nada que hacer. Hablamos del mar y del cine y ni siquiera nos podemos creer que exista otro mundo fuera de esta triste aldea. Antes nos sentábamos aquí, veíamos las luces de la ciudad y soñábamos con lo que haríamos cuando fuéramos mayores y nos marcháramos a la ciudad. Un perro vagabundo pasa a nuestro lado. Adnan le arroja una piedra y el perro se aleja aullando. Sus aullidos me atacan los nervios. «Bueno, ¿qué tiene eso que ver con el mar?» pregunto. Lo único que esa noche puedo hacer es discutir con Adnan.

Regreso a mi lago azul, tiro piedras y consigo que corten el agua, dos, tres, cuatro, incluso cinco veces. Lástima que Adnan no esté ahora en mis sueños, que no vea cómo corto el agua con las piedras.

Sacan la cama de mi izquierda con la mujer y, en su lugar, traen una cama vacía. Antes, mientras yo dormía, ya han venido a buscar al hombre de la derecha. ¿Por qué no me llevan de aquí? El aire es malo. Tengo que regresar a mi lago. Quizá allí pueda respirar. Pero ahora ya no puedo dormirme. Estoy totalmente despierto. Me siento como el primer día en el hospital, con los judíos, cuando tenía aquella gran piedra sobre el estómago. De nuevo intento mover los dedos del pie. Están helados. Me asusto mucho y grito. Viene una enfermera, comprueba los instrumentos y me humedece los labios.

—Enseguida te llevan de nuevo a la planta —dice.

—Mis manos están heladas —digo.

—¿Es lo que te ha asustado? No tengas miedo, de eso no te mueres —se ríe mientras se aleja.

A veces tengo un pensamiento extraño: En lugar de mi hermano Fadi, me han envuelto a mí en una manta y me han colocado sobre la mesa. En casa. Como un paquete, no muy grande y estrecho. En uno de los extremos, hay una gran mancha de sangre. Estoy allí tendido y no me muevo. Pero veo y escucho a los otros. De alguna forma, me entero de todo lo que sucede. Mamá me mira con ojos que ya no ven nada. Como los del abuelo. Mi hermana Navar llora. Abuelo dice que hay que avisar a Bassam. Y papá está todo el tiempo a mi lado y su barba tiembla. El vecino entra y cuenta algo sobre disparos. La bala me habría alcanzado en la espalda. Cuando me llevaron al hospital, todavía vivía, pero los pulmones estaban heridos. Ya no estaba consciente. Papá me abraza. Con la manta. Me estrecha contra él y me perdona todo. A partir de ahora, susurra, nadie nos separará.

Siempre regreso a ese momento con papá. A ese momento en que papá me abraza y yo estoy contento de tener una bala en la espalda. Estoy solo con papá en la habitación. Si pudiera, lloraría. Pero ya estoy muerto. Sólo noto todo el tiempo los brazos de papá. Eso se nota también cuando uno está muerto.

De pronto, una enfermera se inclina sobre mí y me pregunta en un buen árabe: —¿De dónde eres, niño?

Estoy todavía bastante confuso, pero me incorporo un poco y digo en hebreo: —De Jaffa, a la orilla del mar.

—Yo también soy de Jaffa —dice ella y me sonríe. Sus blancos dientes brillan. Mira el arco que está a los pies de mi cama y pregunta: —¿No eres el chico del Westbank?

—Mi abuelo nació y creció allí —contesto en hebreo—. Su padre era un conocido médico de Jaffa —intento hablar en voz alta. Quiero que me oigan todos aquí, en la sala de reanimación.

Me reconoce la rodilla y sigue hablando en árabe: —¿Y dónde está ahora tu abuelo?

—Tenía allí una gran casa —continúo yo hablando en hebreo. Me arregla la almohada y yo levanto la cabeza todo cuanto puedo para que me oiga mejor— con vistas al mar.

Ella continúa en árabe: —Seguro que era una bonita casa.

Sin embargo, yo insisto en hablar en hebreo: —Una maravillosa casa. Con muchas habitaciones y ventanas y mucho, mucho aire.

Ahora comprende lo que quiero decirle.

Pregunta en hebreo:—¿Y qué hay hoy en la casa de tu abuelo?

Se ríe insegura. No está acostumbrada a que la escuchen.

—Un café —digo y me río fuerte. También ella tiene que reírse, por mí, por el juego que mantenemos y que los dos entendemos. Ella se lleva la mano delante de la boca y quiere dejar de reírse, pero no puede. Da la impresión de que hiciera mucho tiempo que no se hubiera reído a carcajadas. Ahora sale sencillamente de ella. No puede contener su risa. Los dos nos reímos a carcajadas. Aquí los enfermos están adormecidos y no parece que alguien nos oiga. El que no está adormecido, está ocupado con sus dolores.

20

El regreso a la habitación número seis fue casi como la vuelta a casa. Oí gritar a Miki: —¡Ya viene! ¡Ya viene! —y todos llegaron corriendo para ver qué diría cuando viera los globos sobre mi cama y los caramelos bajo mi manta. Primero miro hacia la cama de Ludmila. De nuevo, tenía sus rubios cabellos. Estaba sentada en la cama, me miró y no dijo nada. Sin embargo, los dos sabíamos lo que habíamos vivido juntos. Las palabras eran innecesarias.

Confié en que quizá me dieran de una vez todas las comidas que me había perdido, pero eso no funciona así. Me trajeron sólo una comida ligera y además tuve que esperar algunas horas.

—El estómago se tiene que acostumbrar de nuevo lentamente a la comida —me explicó Verdina y se fue a cantarles algo a sus plantas.

Cuando, por fin, llegó mi comida, me senté y me puse a comer como un hambriento. Podía haberme tragado montañas, pero Félix estaba sentado a mi lado y me frenaba todo el tiempo, como si yo fuera un bebé que todavía no sabía comer.

Me sorprendió con qué placer comí una blanquecina, casi líquida papilla de un recipiente de yogur, pero que no sabía a yogur. Comí esa papilla como si fuera una tarta de chocolate, una de esas que tienen los judíos cuando celebran cumpleaños.

Los niños estaban sentados en sus camas y me miraban comer. Tampoco Jonathan quitaba su mirada de mí, aunque, bien seguro, la comida era lo último en el mundo que podía interesarle. Había silencio en la habitación. Miraban asombrados cada cucharada que me llevaba a la boca, como si fuera un acto heroico. Me daba pena que aquella comida también se terminara, me hubiera gustado prolongarla eternamente.

Pero algo había cambiado en la habitación. Al principio no supe qué. No quiero decir el hecho de que Zachi no estuviera con su balón y tampoco saltara como una cabra sobre la cama ni planeara como un paracaidista, de cama en cama. Era otra cosa. Por primera vez vi sus ojos, pues ya no iban veloces de un lado para otro constantemente. Estaba tranquilamente sentado en su cama y me miraba, y yo, de pronto, descubrí ojos en él. Sin embargo, me dije: No te alegres demasiado pronto, Samir. Quién te garantiza que el curtido rufián, mire como mire, no maldice en secreto a los muertos de tu familia.

Me trajeron un teléfono inalámbrico y me dijeron que mamá estaba al teléfono. Apenas si podía sostener el auricular, en el que había increíblemente muchos botones. Seguro que en otras circunstancias, los hubiera probado todos, pero ahora no pensaba apretar ni siquiera uno solo, pues, de pronto, me sentí desfallecer. Le dije a mamá que todo estaba bien, pero mi voz debía ser muy baja porque mamá preguntaba todo el tiempo: —¿Qué? ¡No te oigo!—. Era como si yo ya no estuviera acostumbrado a hablar en árabe. Le pregunté si había conseguido comprar harina y azúcar para el toque de queda y ella se rió. Quería preguntar si el abuelo había regresado del desierto, pero pude contenerme en el último momento.

A Jonathan sólo le oí cuando llegó la noche. Mientras no se puso el sol, no dijo una sola palabra.

Pero cuando fuera se fue haciendo oscuro, comenzó a andar intranquilo de un lado para otro de la habitación. Confié en que nuestro viaje no estuviera planeado para esa noche, pues yo no tenía fuerzas para moverme. Jonathan esperó hasta que los otros niños dormían. Algo nada fácil. Todos estaban excitados del día y no querían meterse en la cama. Félix vino a comprobar con su linterna si todos dormían; sin embargo, se movían bajo las mantas y reprimían la risa. Jonathan se hundió bajo su manta y respiró hondo. Pensó que quizá eso contagiaría a los demás. Pero no ayudó nada. Félix no regañaba. Sólo dijo que volvería más tarde y que esperaba que para entonces todos estaríamos tranquilamente dormidos. Pensé que si me pusieran en la cárcel un guardia así, quizá no se estaría tan mal allí.

Cuando finalmente todos dormían, Jonathan se sentó sobre mi cama y me leyó una poesía que había escrito sobre nuestra Tierra.

> Cuatro mil millones de años
> todo lleno de algas.
> Cuatro mil millones de años
> una única gran ciénaga.
>
> Todo sólo agua, nada más,
> jo, jo, jo
> planeta adormecido.
>
> Todavía otros quinientos millones de años
> desde allí hasta aquí.
> Peces, lagartos,
> cigüeñas, plantas.
>
> Todavía varios millones de años más,
> inteligente planeta,
> jo, jo, jo,
> por fin hemos llegado al hombre.

Cuando terminó, metió una hoja doblada debajo de mi almohada. Entonces comprendí que la poesía era para mí. Me hubiera gustado aplaudir, pero no quería despertar a los otros niños y Jonathan ya estaba en la ventana y miraba hacia las estrellas en la noche.

De pronto, sin volver la cabeza, dijo: —Te había reservado una albóndiga y un muslo de pollo, pero Verdina no me ha permitido guardarlo en el cajón de la mesilla. Me lo quitó y lo tiró.

Tuve que reírme al imaginarme cómo ella abría la mesilla y descubría la carne. Me alegró tanto que Jonathan no me hubiera olvidado durante todas las horas que duró la operación, aunque quizá la mayoría del tiempo viviría en otro mundo, donde era completamente libre.

Jonathan ya sabía exactamente lo que me iba a suceder. Tú piensas que has terminado una vez que te han operado y que te puedes ir a casa, pero Jonathan dijo: —Éstos aquí no renuncian a ti tan fácilmente—. Exactamente eso, me había contado Bassam, le había sucedido en la cárcel. Y sólo para eso, necesitamos a los abogados donde mamá hacía la limpieza. Para que, por fin, se pusieran de acuerdo y renunciaran a él en la cárcel.

—Después de la operación, te llevan a rehabilitación, con el fin de que tu mano, tu pierna o tu rodilla aprenda de nuevo a hacer todo lo que hacía antes por sí sola. Al que no puede andar, le dan una silla de ruedas. Ves, solamente unas noches más y podremos partir hacia nuestro planeta Marte.

Pero no podía ser tan pronto. Todavía me sentía tan afectado por la anestesia que no quería pensar en un viaje espacial, menos aún en una silla de ruedas. Ahí iba todas las mañanas con Félix de viaje. A la sección de rehabilitación, donde pasaba toda la mañana.

Al principio, debía intentar andar entre dos barandillas de hierro. Me asusté. Antes de la operación, con la rodilla mal, por lo menos podía pisar. Ahora el más leve contacto con el suelo me producía tal dolor que casi gritaba, aunque me agarrara con ambas manos a las barandillas. ¡Lo habían empeorado todo! Sin embargo, Félix me prometió que al día siguiente ya sería menos difícil, aunque sólo si seguía sus instrucciones.

Cuando me preguntó al día siguiente, los dolores seguían siendo tan fuertes, pero no quería decepcionar a Félix y dije que estaba algo mejor. Sin embargo, para mí pensaba: Puedes olvidarte del fútbol para siempre. Puedes dar gracias a Alá y estar contento si con la pierna eres la mitad de rápido que el vendedor de tortas.

Lo que hago en la sala de rehabilitación lo hago por Félix. Me ha prometido tan firmemente que todo volverá a estar pronto bien que no quiero romper su palabra. En mis esfuerzos entre las dos barandillas, al final suda más Félix que yo. Y cuando después de los ejercicios nos quedamos sin aliento, todavía me ayuda a tumbarme boca abajo en las colchonetas y me da un masaje en la espalda. Ya que, dice Félix, la espalda de las personas es su punto más débil.

De todos los animales, solamente nosotros, los hombres, somos los únicos que andamos rectos sobre dos piernas, con todos los problemas que ello conlleva. Y esos problemas nos obligan a que, de vez en cuando, tengamos que acostarnos. Pero si te acuestas demasiado, la espalda se rompe. Por eso, Félix se quita todos los días su anillo del dedo, se frota las manos con aceite y las pasea, con movimientos circulares, sobre mi espalda y yo estoy simplemente ahí tumbado y no hago nada. Si abuelo me viera así, me gritaría y me regañaría: «¡Levántate inmediatamente! ¡Cómo puedes estar ahí tumbado como el hijo de un pachá!»

En una ocasión, me fijé en el anillo que lleva Félix y descubrí que es el mismo que lleva mi padre en el meñique. También en él están grabadas una palmera y una montaña, y por la montaña camina un solitario camello en dirección al sol naciente. La única diferencia es que el anillo de papá es verde y el de Félix azul oscuro. Y de pronto, como estoy allí tumbado y no tengo nada que hacer y Félix se pasea con sus dedos por mi espalda, juego para mí solo a «traspasar».

«Traspasar» es un juego que Adnan y yo jugábamos algunas noches cuando no teníamos nada que hacer. Eso era en tiempos en que todavía había fútbol y varios auténticos equipos, antes de que ellos también los disolvieran. «Traspasar» es un buen juego para las noches en la aldea. Si hay toque de queda, pero también para cualquier otra noche, cuando tu padre cierra la puerta de la casa y ya no te deja salir y sólo puedes hablar con tu vecino Adnan a través de un agujero en la pared del wáter. No te molesta que haya un corte de luz, de agua o de cualquier otra cosa.

El juego es así: Cada uno elige un equipo de fútbol y además puede acceder a jugadores de otros equipos. La mayoría del tiempo se pasa con traspasos, porque hay que aclarar y tratar quién es el que quiere tener en su equipo a los mejores jugadores. El que tiene mucha paciencia, habla rápido y es más habilidoso que el otro, consigue hacerse en nada con un equipo estupendo. Cuando ya se han terminado los tratos y se han puesto de acuerdo sobre los traspasos, comienza el verdadero juego. Todo con palabras. Para ello, necesitas tener el campo de juego en la cabeza, también a los nuevos jugadores que te has traído y el balón. Tú describes quién entrega el balón a quién, los ataques a la portería, los *corners*, los goles y todo lo demás. Todo desde la cabeza.

Lo que ayuda a uno a mantener todo en la cabeza es la oscuridad del wáter. Ni siquiera necesitas cerrar los ojos. Porque, de todas formas, no ves nada. Sólo el campo. Si cometes un error o dices algo que no puede ser, el balón pasa al otro y el contrario describe el ataque de su equipo a tu portería.

Ese juego lo llamamos «traspasar». No sé cómo he ido a parar a él. Quizá porque en el anillo de Félix hay el mismo dibujo que en el anillo de mi padre. Pongo a Félix en el lugar de mi padre y a mi padre en el lugar de Félix.

Primero traspaso a Félix a nuestra casa. Allí viene por las noches a mi cama con su linterna y mira a ver si duermo bien. Pero eso es normal. Exactamente eso es lo que hace también aquí, en el hospital. Quiero ver cómo ese traspaso cambia lentamente la vida de los dos. Traspaso a papá al hospital. Él se ocupa de los enfermos, se saca globos de las orejas y los hincha, y Félix está con nosotros en la aldea, salta de la cama todas las mañanas con los primeros rayos del sol y abre la peluquería. Pero no viene nadie a cortarse el pelo, menos aún a afeitarse. Félix no sabe qué hacer con sus energías. Cuelga un letrero en el que dice que, por el mismo precio, también da masajes en la espalda. Pero la gente no tiene tiempo para pensar en su espalda y tampoco tiene dinero. Al que tiene el cabello largo, se lo corta su madre, su mujer o su hermana. Félix se aburre. No le gusta estar sentado, sin hacer nada.

De pronto se me ocurre que papá verdaderamente podría ocupar, no sólo en el juego, el lugar de Félix y Félix el lugar de papá. Nada resultaría cómico, todo parecería totalmente normal, sólo que cambiados. Papá cuidaría aquí a los niños enfermos y no pensaría ni una sola vez que Félix está bloqueado por el toque de queda en la aldea. Quizá él no sabría lo que verdaderamente es el toque de queda. Tendría, simplemente, otras cosas en la cabeza. Veo a papá por el pasillo, empujando una pesada cama sobre ruedas y eso parece totalmente normal.

Después veo a Félix delante de nuestra casa. Mira cómo ellos ponen una alambrada alrededor de nuestros olivos, con lo que ya no nos pertenecen. Félix se acerca al hombre que lo está haciendo y le dice: «Ruch min hoon». Intento imaginarme que el hombre que le dice en árabe a Félix «¡Lárgate!» podría ser mi padre, pero eso ya resulta bastante difícil. Me obligo a traspasar a papá al cuerpo del hombre que cerca los olivos con alambre de espino, pues así funciona el juego. Pero no consigo imaginarme la cara del hombre y no estoy seguro de que ese traspaso esté bien.

Finalmente, oigo cómo el hombre le dice a Félix: «¡Ruch min hoon!» y reconozco la voz de mi padre. Félix no entiende por qué mi padre le habla así y le pregunta por qué le quitan los olivos. Ahora mi padre repite las palabras «¡Ruch min hoon!» con el acento con el que los judíos hablan el árabe, le da la espalda a Félix y se aleja.

Después traspaso a Zachi y a Jonathan a nuestras callejuelas de la aldea y yo mismo me voy a casa de Jonathan. Zachi se ambienta bastante bien en la calle, con Adnan y los demás. Corre con ellos a través de la cortina de humo, huye cuando disparan y no llama especialmente la atención. Por lo que a mí se refiere, voy con el padre de Jonathan a contemplar las estrellas. Sólo Jonathan no está en su sitio en nuestra plaza. No, le retiro de nuevo. Eso verdaderamente no es para él.

Mientras tanto, Félix pasea todo el tiempo, de un lado a otro, de mi espalda, que duele por todas partes, después de haber estado tanto tiempo acostado sobre ella. Pienso cuánto trabajo hay que invertir en una espalda para que vaya erguida y deje de doler. ¡Cómo se puede meter una bala de fusil en una espalda y partirla en dos segundos! Ahora también juego a traspasar a Fadi: Podría estar fácilmente aquí acostado y Félix le masajearía la espalda. Y yo, yo podría estar ya perfectamente bajo tierra.

Por la noche, Jonathan me cuenta lo que le ha sucedido a Zachi. De pronto, se había apagado como una vela, ya que dentro de unos días le iban a quitar el tubo y la bolsa. No estaban seguros, le habían dicho, de que todo fuera bien y quizá tuviera que continuar un tiempo como hasta ahora. Quién sabe.

21

Una noche, me desperté y Jonathan estaba de pie a mi lado, con una silla de ruedas. Estaba muy serio y me miraba. Sus pelos estaban rapados como los de un pollo desplumado; sin embargo, sus ojos eran guaridas de jóvenes leones y supe que había llegado nuestro gran momento. Me ayudó a pasar de la cama a la silla de ruedas, algo que ya no me costaba tanto porque el trabajo de Félix y quizá también su testarudez habían fortalecido mucho la pierna. Ya podía imaginarme el volver a caminar erguido, quizá cojeando un poco, pero, de todas formas, sobre dos piernas. Sólo que los turistas ya no me mirarían en las escalinatas del bazar.

Es muy tarde. El pasillo está vacío. El enfermero de noche se ha quedado dormido con las dos piernas sobre la mesa. Pasamos sin hacer ruido por delante de él. Primero Jonathan; yo, en la silla de ruedas. Me pregunto cómo vamos a pasar por delante de los vigilantes al final del pasillo, pero Jonathan no va hacia el ascensor, sino que, antes de llegar, tuerce a la izquierda, donde están los despachos y busca a oscuras una determinada puerta. Va varias veces de un lado a otro. Finalmente, saca del bolsillo una diminuta linterna, que cuelga de un llavero. Proyecta una luz rojiza y, desde el primer momento, me siento impactado por ella, aunque no la quiero para mí. ¡Jamás en mi vida he visto una linterna tan maravillosa! Quizá sea la linterna que yo siempre he buscado entre la basura.

Jonathan abre la última puerta en el pasillo con una llave del llavero. Me hace una seña de que le siga sin hacer ruido. Me deslizo lentamente con las dos ruedas de goma a través del dintel de la puerta. No tengo ni idea de adónde vamos. ¿Si no va por la puerta de entrada, quizá por la ventana? Estamos bastante arriba, pero al que quiere hacer un viaje espacial, no le asustan algunos pisos más. Desde esa habitación, continuamos a oscuras a otra habitación y desde allí, de nuevo a otra. Aquí ya podemos dar la luz sin que nos descubran desde el pasillo. Jonathan da la luz y sonríe. Se va a la ventana y cierra las cortinas para que tampoco se vea luz desde fuera.

En la habitación, hay dos mesas, varias sillas y una lámpara. Sobre las mesas, hay varios formularios. Yo no veo nada especial. Jonathan va hacia un aparato, que parece un televisor y que está sobre una de las mesas.

—Ahora, presta atención —dice.

Es un ordenador, lo sé. En una ocasión vi uno en el despacho de la administración militar. Jonathan saca del bolsillo de su chaqueta de pijama una pequeña caja, un poco más grande que una cajetilla de tabaco, sólo que delgada. Saca un disco, lo mete en el ordenador y aprieta todas las teclas posibles. Después sucede algo que yo jamás había visto. El ordenador toca una maravillosa melodía, la pantalla se vuelve azul, se convierte en un cielo y ese cielo es más azul que todos los cielos que yo he visto. Las estrellas titilan plateadas y doradas. Nos guiñan a nosotros, a Jonathan y a mí, al ritmo de la melodía. Ardientes soles pasan ante nuestros ojos. Naves espaciales centellean veloces en todas las direcciones. No puedo ver todo lo que pasa volando. Quisiera decir: ¡Espera, un poco más despacio! Pero no digo nada, solamente me aproximo con la silla de ruedas lo más que puedo y no me aparto ya de allí. No puedo desviar mis ojos de la pantalla, de aquel otro mundo, donde Jonathan se mueve tan libre como un pez dentro del agua. Ésta es una libertad que yo jamás he vivido.

22

—¿Quién quieres ser, el chico azul o el verde? —preguntó Jonathan. No supe que contestar. Las dos figuras en la pantalla parecían exactamente iguales. El mismo tamaño, la misma forma, sólo que en distintos colores.

—Quizá el azul —dije, pero no estaba seguro.

—Entonces, yo soy el verde —dijo Jonathan—. Es lo mismo el que elijas, son de la misma materia.

—¿Exactamente de la misma? —pregunté.

—Todos nosotros, el globo terráqueo, somos de la misma materia: de agua, carbono, calcio, hierro, albúmina y alguna cosa más.

Se dio cuenta de lo mucho que aquello me sorprendía. No es que yo no le creyera. Pero es que jamás había pensado en ello.

Creo que se alegraba de mi sorpresa. Se rió. —Todos nosotros, indios, franceses, africanos y rusos, judíos y árabes, esquimales y japoneses, los que tú quieras —apretó una tecla y los dos, el chico azul y el chico verde, fuimos introducidos en un traje espacial y subimos a bordo de la nave.

—También todos los demás seres vivos en la Tierra están hechos de la misma materia, sólo que ordenada de otra forma, ésa es la diferencia. Por ejemplo, los camellos.

—¿Camellos?

—O jirafas, elefantes, hormigas, mariposas, narcisos, olivos, liebres. Todos estamos hechos de una mezcla de las mismas materias, sólo que esas materias están organizadas de forma algo distinta. Eso es todo. ¿Ves esta tecla? Apriétala.

Apreté y la puerta de la nave espacial se cerró.

—Siempre que queramos ver lo que en ese momento nos sucede a nosotros en la nave, apretamos este botón —y apretó un gran botón rojo.

La pantalla se dividió y en una parte se vio el interior de la nave: estábamos sentados juntos muy apretados. Apenas si se podía mover un dedo.

—Ten cuidado con mi rodilla —le recordé a Jonathan.

Se rió. —No tengas miedo, el traje espacial te protege bien.

Seguidamente me enseñó una palanca con la que yo debía dirigir la nave.

—Tú diriges la nave —dijo Jonathan. Lo dijo totalmente serio—. Yo solo, con la mano izquierda, no puedo dirigirla y a la vez utilizar las teclas. No va a ser fácil la primera vez, pero yo te ayudaré en lo posible. El cosmos está lleno de cuerpos voladores. ¡Ten cuidado!

Antes de que yo sepa, en realidad, lo que sucede, Jonathan grita ya: —¡Despegaaaaaaamos! —y yo le digo que no hable tan alto porque, de lo contrario, va a despertar al enfermero dormido. Jonathan dice que ponga mi mano sobre la palanca de dirección y susurra: —Cinco, cuatro, tres, dos, uno, cero, ¡ya!

Tiro de la palanca. Una clara luz inunda la pantalla. Por un momento, parece como si la nave no se moviera, sino que estuviera anclada en tierra. Quizá le guste tanto esto que no quiera irse. Quizá no tenga suficiente energía para ascender. Pero yo tiro tan fuerte como puedo y ya comienza a moverse. Al principio despacio, vacilante, después cada vez más rápido, con una fuerza que yo no sé de dónde la saca. Somos arrastrados a un lugar lejano, desconocido. Tengo la sensación como si hubiera liberado a un gigantesco espíritu de la botella y no hubiera ningún control más. Volamos con una velocidad de mareo por el cosmos. Sin embargo, aquí no estamos solos. A una velocidad semejante, vuelan a nuestro lado toda clase de extraños fragmentos.

—Ahora tenemos que tener cuidado de no chocar contra nadie —murmura Jonathan y yo dirijo la nave espacial entre aquellos fragmentos.

—¿Qué sucede? —estoy algo confuso. Había imaginado vacío el espacio celeste.

—Ven, vamos a dar una vuelta fuera de nuestra galaxia y después regresamos —dice Jonathan y aprieta todas las teclas posibles.

Volamos entre cuerpos maravillosamente brillantes. Si no tuviera que prestar atención y evitarlos constantemente, podría estar horas enteras sentado, sin hacer otra cosa, mirando cómo pasan veloces delante de mis ojos. A lo lejos, diviso formaciones enteras de estrellas. Las estrellas fluyen a través del cosmos y cambian su forma en toda clase de maravillosas figuras, como los pájaros en los atardeceres antes de que llueva.

—¿Qué es eso de ahí? —señalo hacia el horizonte.

—Son galaxias que han chocado contra otras. Lo que nosotros vemos como pequeñas explosiones, en verdad ha durado dos millones de años. Ahí, cada estrella está sometida a la fuerza de la gravedad de otras estrellas y así se mueven, se desplazan veloces, una es atraída por otra y se alejan de nuevo en un movimiento extraño y maravilloso. Un momento, ahora ten cuidado. ¡Ten cuidado! —Jonathan tira de mi mano, que sujeta la palanca. En el último momento, consigo evitar a un cuerpo que se acerca velozmente hacia nosotros.

—Eso es una galaxia, a la que le gusta especialmente tragarse a sus vecinos.

—¡Dir balak! —me advierto a mí mismo— ¡Ni se te ocurra! —y maniobro a través de distintos cuerpos pequeños, que nos rodean por todas partes—. ¿Qué son todos estos?

—Son asteroides, trozos de mundos que han explotado. También las estrellas aparecen y desaparecen como nosotros. Tienen su propia vida. Juventud, vejez y muerte.

—¿Tienen juventud, vejez y muerte? —suena increíble.

—Ahí, mira las amarillas, ésas son todavía jóvenes, alrededor de cincuenta millones de años. Y esas rojas, tan incandescentes, ésas morirán jóvenes.

—No había pensado que las estrellas también nacen y mueren —murmuro.

—¡Claro que sí! —dice Jonathan— ¡Ten cuidado! ¡No tienes cuidado! Casi hemos tocado a un cometa. Un choque así, contra un cometa, nos habría derretido toda la nave en nada.

Siempre había pensado que el cielo era un lugar pacífico. Ahora veo que aquí se está peor que en el toque de queda.

—Casi que nos chocamos —dice Jonathan.

Me disgusto por no haber tenido más cuidado con el cometa.

—Tienes que tener más cuidado —me dice Jonathan.

Ahora, sin embargo, estoy enfadado. —Tú lo tienes fácil. Tu padre te ha enseñado estrellas cuando tu madre todavía te daba de mamar.

Cruzamos rápidos por el cosmos. Intento no chocar con nadie. Para que no ardamos. Casi que ya me he acostumbrado a la velocidad. Casi que me parece como si toda mi vida hubiera estado dirigiendo una nave espacial cualquiera.

—En nuestra galaxia, en nuestro sistema solar, todos los planetas tienen tras de sí gigantescos choques. Venus, Marte y probablemente también nuestra Tierra. También los más grandes, como Júpiter y Saturno. Pero a ésos no les ha importado. Por su tamaño, lo más que les ha producido es un rasguño. Nuestra nave, en comparación, es como una cáscara de nuez.

—¡Dir balak! —tengo que tener mucho cuidado.

—Yo encuentro increíble —sigue hablando tranquilamente Jonathan —que las leyes de la física sean válidas en todo el Universo y que también la química sea en todas partes igual. Por ejemplo, las estrellas y nosotros, nosotros también somos del mismo material.

—¿Somos del mismo material que las estrellas? —tengo que reírme.

—Nosotros dos, Samir, tú y yo, estamos hechos de polvo de estrella.

Se ríe. También yo lo encuentro cómico. Pero, en realidad, es una bonita imagen.

Con un golpe de tecla, regresamos a nuestra galaxia. Jonathan la llama nuestra galaxia de casa: la Vía Láctea. Inmediatamente llegaremos a nuestro pequeño sistema solar.

—No es que para nosotros sea tan pequeño —dice Jonathan entusiasmado—. En todo el universo es, ciertamente, un pequeño sistema solar al margen, en alguna parte; pero, en proporción, para nosotros es gigantesco. En realidad, nuestras medidas y distancias corresponden a las proporciones en la Tierra; verdaderamente, no encajan en el gran universo. Lo gigantesco que es sólo lo hemos comprendido en los últimos cien años.

—¿Cuándo vamos a Marte? —pregunto. Poco a poco, me resulta excesiva la velocidad con la que circulamos por el cosmos. Ahora me gustaría encontrar un oasis fresco con algunos árboles y descansar un poco.

—Dentro de poco —me tranquiliza Jonathan—. Podríamos todavía pasar cerca de Venus, que está más cerca de nuestra Tierra. Sin embargo, ahí hace 380° de calor y eso es un problema.

Si es así, no tiene por qué ser.

—Tú no sabes cuánto tiempo hace que sueño con Marte —dice ahora ensimismado Jonathan. Su delgada mano de polluelo acaricia las teclas. Intento escucharle atentamente, pero tengo que prestar atención a la nave. Me enseña cómo, apretando una tecla, puedo «congelar» un momento la nave en el cosmos. Yo no sabía que eso era posible. Gracias a Dios puedo descansar un momento.

Jonathan me mira y dice: —Sabes, tengo grandes planes para Marte. Desde que era pequeño, sueño con que haya vida allí. He leído libros, constantemente he hablado de ello con papá y le he bombardeado con preguntas. Hoy ya no se espera encontrar vida en Marte. Han aterrizado allí dos naves; «Viking uno» y «Viking dos» hicieron fotografías y trajeron diferentes pruebas de arena y rocas. Sin embargo, no encontraron vida. Pero quizá haya bacterias —y muy triste añade: —Por lo menos, alguna clase de bacterias.

Noto que él confía en algo distinto, pero no realmente en bacterias.

Nos acercamos al planeta Marte. Jonathan está todo excitado. Se limpia el sudor de la frente con el dorso de la mano.

—¡Agárrate ahora bien! —me dice— Con ambas manos, para que al aterrizar no seamos desintegrados. ¿Sabes que el aterrizaje de una nave espacial puede ser terriblemente peligroso?

—¿Cómo lo voy a saber? —de nuevo reacciono algo nervioso— Mi padre no trabaja en las estrellas. Yo sólo puedo contarte cómo se afila una hoja de afeitar y lo que cuesta en cualquier ciudad del Westbank.

—No te preocupes —me tranquiliza Jonathan—. Si el Viking lo consiguió, también lo conseguiremos nosotros.

—En realidad, ¿quién construyó ese Viking? —pregunto. Si hablo, la tensión no es tan grande y puedo dirigir mejor.

Jonathan me explica pacientemente: —No se puede decir con exactitud quién la ha construido, ya que en cada descubrimiento científico colaboran miles de investigadores de todos los países. Y también hay que tener en cuenta a aquellos de generaciones anteriores a la nuestra. Sin esos descubrimientos, hoy no estaríamos tan avanzados. De todas formas, en 1967 conseguimos llevar el «Viking» a Marte, cientos de millones de kilómetros alejado del globo terráqueo. ¡Intenta imaginártelo! —este chico habla como si su padre y él hubieran conducido ese «Viking», o como se llame, a Marte— De todas formas, hoy sabemos mucho más sobre Marte desde que ese «Viking» estuvo allí. ¡Ten cuidado!

A partir de ese momento, nuestras frases se vuelven más rápidas y cortas, como el intercambio de palabras entre dos pilotos, como vi en una ocasión en una serie con pilotos americanos de la Guerra Mundial, a pesar de que ellos, naturalmente, hablaban inglés.

Yo: —¿Qué ha sucedido?

Jonathan: —Tenemos que pensar bien dónde aterrizamos.

Yo: —¿Por qué?

Jonathan: —Aquí hay muchos volcanes y toda clase de parajes salvajes y peligrosos. Ven, vamos a aterrizar en Utopía.

Yo: —¿Dónde está?

Jonathan: —Allí, donde aterrizó el «Viking»

Yo: —De acuerdo. Dime cómo.

Jonathan: —Tienes que variar el ángulo. Mientras tanto, yo intento encontrar el lugar exacto.

Yo: —¿Cómo lo hago?

Jonathan: —Aprieta la palanca hacia la izquierda.

Yo: —¿Y ahora?

Jonathan: —¿Ves esto?

Yo: —¿Dónde?

Jonathan: —¡Aquí, exactamente debajo de nosotros! ¡Eso es Utopía!

Yo: —De acuerdo. Voy a girar todavía un poco a la izquierda.

Jonathan: —¡Muy bien! Todavía un poquito más. ¡Ahora!

¡Ahora!

De nuevo me grita como si yo no hubiera hecho otra cosa en mi vida que aterrizar en planetas. De nuevo me pongo nervioso. Quizá, al final, soy un poco nervioso como mi abuelo. Tan impulsivo. Ahora también me meso los cabellos.

—¡Ahora! ¡Ahora!

—Ahora, ¿qué?

—¡Tira de la palanca hacia arriba, con las dos manos!

Es como un milagro. ¡Inimaginable! Aterrizamos sobre el planeta rojo. Apenas si puedo creerlo. Nuestra nave espacial aterriza en la dorada arena. De la nave, comienzan a salir una especie de piernas. Podía besar el polvo de sus pies, como suele decir mi abuelo.

—Tenemos suerte de que hoy se haya avanzado mucho más que en tiempos del «Viking» —Jonathan sonríe satisfecho—. Que no nos quedemos fijos en un lugar. Podemos sacar vehículos de ruedas dentadas de la nave, especiales para la arena y recorrer con ellos Marte.

Jonathan aprieta un botón verde y, como por encanto, salen móviles de ruedas dentadas de todas partes de la nave, y veo a Jonathan y me veo a mí, un chico azul y un chico verde, que nos sonríen desde sus trajes espaciales. Suena una melodía a lo lejos y, al compás, muchas estrellas brillan alrededor.

—Ahora estamos en la fase dos —dice Jonathan satisfecho.

—¿No podríamos salir un momento? —pregunto inquieto— Se está muy apretado en esta nave.

—Eso no es tan fácil. Sería mejor que diéramos una vuelta sobre los ruedas dentadas. La temperatura fuera es de cincuenta grados bajo cero. Por las noches, puede descender a cien grados bajo cero. Ciertamente, tenemos buenos trajes especiales, pero mejor investigamos los alrededores antes de descender. Además, aquí en el aire falta el oxígeno y la radiación ultravioleta del sol es demasiado grande porque el planeta no tiene una capa protectora de ozono como la Tierra.

—Nuestra Tierra no está tan mal construida —le doy a conocer a Jonathan mi nuevo descubrimiento.

—Ya lo digo yo siempre —Jonathan sonríe—. Bueno, lo dice siempre mi padre.

Agarro la palanca de conducción y nos movemos hacia adelante muy lentamente. Alrededor de nosotros, solamente hay arena. Grandes extensiones de arena, también a veces pequeñas rocas, como si alguien las hubiera esparcido. A lo lejos, se ven elevadas montañas. Es un tanto extraño el que yo pasee por Marte. Tan lejos de la Tierra. Viajamos sobre arena, a veces dorada, a veces rojiza, y todo este planeta nos pertenece únicamente a nosotros. Aquí nadie te da el alto y quiere que le enseñes tu carnet de identidad. Desde lejos, entre las montañas, distingo la hendidura de un río, como los *vadis* nuestros.

—Ven, voy a conducir hacia aquel *vadis* —le digo a Jonathan.

Jonathan se ríe y dice: —Enseguida verás qué clase de *vadis* hay aquí. En América, hay un Cañón, mi madre me ha escrito sobre él: Como un profundo, perpendicular corte entre las rocas. Parece que es el más grande de la Tierra. Este *vadis*, en Marte puede tragárselo y otros tres más como éste. Tiene unos cinco mil kilómetros de longitud. Puedes viajar y viajar por él y no terminas de llegar al final.

Y ciertamente, cuando nos aproximamos, toda la pantalla se llena de aquel gigantesco *vadis*. De pronto, Jonathan apretó una tecla y la nave espacial se abre.

—Esto tenemos que verlo de cerca —dice.

Salimos de la nave. ¡Por fin! Después de haber estado tan apretados durante todo el viaje. Con cuidado, estiro la rodilla. Aquí no cojeo en absoluto. Nos aproximamos al *vadis*. Jonathan y yo somos ahora diminutos como dos puntos de cagada de mosca.

—La meseta Marinar —dice Jonathan, nos detenemos, miramos hacia el valle y callamos. Aquí no hay nada más que decir. No habíamos visto algo tan bello en nuestras vidas, ni siquiera soñado. Nos quedamos allí parados un buen rato y callamos. No sé en qué piensa Jonathan. En mi cabeza, los pensamientos giran vertiginosamente, como en un huracán. Jonathan es el primero en recuperar el habla.

—Escucha, Samir, cuando estemos cansados de nuestro mundo, cuando nos hagan la vida difícil y no podamos aguantar más, entonces podemos venir aquí, a este otro mundo.

—Pero, ¿cómo? Tú mismo dices que aquí hace demasiado frío, que no hay ninguna capa de ozono y tampoco oxígeno, nada de lo que necesitamos.

—Al principio, tampoco el globo terráqueo estaba tan completamente preparado. Hoy podemos aprender cómo nuestro planeta se ha desarrollado y entonces renovar otras estrellas de la misma forma.

¿Renovar? Ya no entiendo nada. —¿Cómo se puede renovar el universo?

—¡Presta atención! —dice Jonathan ceremoniosamente, hace su típico movimiento de mano y se la pasa por el pelo. Mientras que yo aquí tiemblo a cincuenta grados bajo cero, él suda por todo el cuerpo. Se le ponen los pelos de punta, como a un erizo. Puede verse lo excitado que está. Creo que durante todos los días que llevamos en la habitación número seis, y en todas las horas durante las que fui operado, él solamente ha esperado a este momento. Comienza a pulsar distintas teclas para renovar el planeta Marte.

—Primero hacemos una zanja y dirigimos agua del polo hacia las zonas secas, arenosas. El agua es lo más importante. Agua significa vida.

Aprieta una tecla y pequeños regatos azules se abren paso hacia las colinas de arena.

—Ahora el oxígeno —dice Jonathan completamente en serio. Aprieta otra tecla y, en la arena, brotan pequeñas plantas a las orillas de los regatos. Son pequeños, carnosos cactus—. Estos no necesitan mucho riego, pueden almacenar el agua durante largo tiempo —explica Jonathan.

—¿De dónde has sacado las plantas? —le pregunto, porque aquello me parece un tanto sospechoso.

—¡Las hemos traído con nosotros de la Tierra!—exclama jubiloso Jonathan— Hemos traído especialmente plantas que no son demasiado exigentes. Ellas tienen que incrementar aquí el contenido de oxígeno en el aire. Más tarde, de ellas saldrán otras plantas.

Las plantas crecen y cubren las orillas de los ríos. Yo también pruebo mi suerte y aprieto una tecla. Aparecen pequeños bosques aquí y allá en las montañas. Eso me gusta. Hago que se vuelvan más poblados. Es como si ya oyera el primer trino de un pájaro en los árboles.

—Espera. ¿Qué sucede con los peligrosos rayos de los que has hablado?

Jonathan siempre tiene una respuesta preparada. Verdaderamente ha pensado en todo. —Soltaremos un gas para que forme una nube y entonces ella nos separa del sol como un cristal.

—¿Crees que eso funcionará? —tengo mis dudas. Pero ya hablo con Jonathan como un auténtico gran investigador: —Si no funciona, tendremos que hacer otra cosa con los rayos, si no la vida aquí no tiene ninguna posibilidad.

—Digamos que como solución provisional es suficiente —propone Jonathan—. La mejoraremos con el tiempo.

Las nubes se hacen más densas y se convierten en una especie de cortinas entre el sol y nuestro planeta.

—Jonathan, quizá deberíamos aquí... Sabes... si estamos renovando, quizá podríamos hacer aquí un mar.

—¿Para qué necesitas un mar?

No sé cómo explicárselo. Quizá no ayude al desarrollo de la vida en Marte, pero yo lo necesito. Me avergüenzo un poco de decirle que nunca he visto el mar. Jonathan busca la tecla correcta. Coge el cuaderno de las instrucciones en inglés y lee y sigue buscando.

—Quizá un lago —dice finalmente, totalmente absorto.

—¿Se parecerá a un mar? —pregunto lleno de esperanza.

—Ahora más bien necesitamos un lago de agua dulce —dice Jonathan metido en sus pensamientos.

—Bueno, pero entonces que sea uno gigantesco, que no se vea dónde termina.

Durante un rato, probamos con las teclas, nos consultamos y, juntos, hacemos diferentes intentos. Al principio, conseguimos una especie de lago, pero no allí donde lo habíamos planeado. Está demasiado cerca de un volcán, del que Jonathan ha leído en su cuaderno que, a veces, entra en erupción. Entonces arroja fuego rojo, que se llama lava, y esa lava es lanzada a una increíble altura. Saltamos de una pantalla a otra. Cada vez tenemos una parte distinta del planeta ante nosotros.

Finalmente, encontramos un valle llano, arenoso, que tiene un aspecto muy tranquilo y comenzamos a dirigir el agua hacia allí. Yo voy haciendo el lago cada vez más grande. Para Jonathan ya es suficientemente grande, pero para mí no. Quiero que llegue hasta el horizonte. Quiero que no tenga ninguna frontera. Que no se pueda ver dónde termina. Jonathan ya está pensando cómo traer hasta aquí peces congelados de la Tierra y descongelarlos, pero sólo bajo la condición de que en nuestro planeta esté prohibida la pesca y la caza. Los peces deben vivir aquí hasta una edad avanzada.

De pronto, no tengo nada más que hacer. Puedo estar sencillamente a la orilla del lago y sé que todo es posible. Comprendo el gran secreto de Jonathan. Esa noche me sucede algo maravilloso, que jamás me ha sucedido con otro. Ni siquiera con Fadi, mi hermano, con el que crecí y que era mi mejor amigo.

Estoy con Jonathan a la orilla del lago azul y tengo que pensar cómo Fadi y yo salimos de casa por la noche a enterrar a la pequeña liebre. Llovía. Cavamos un agujero. Fadi había envuelto a la pequeña liebre en un periódico para que no se mojara. La colocó en el agujero y añadió el chocolate, al lado de la cabeza y después echamos la tierra pegajosa encima y cerramos el agujero.

Incluso entonces, cuando estuvimos unos minutos bajo la lluvia callados, no nos sentíamos tan cerca como me siento hoy con Jonathan. Quizá porque aquello, que tanto significaba para nosotros dos, lo enterramos en la tierra. Porque no quedaba nada más. No quedaba nada más para continuar.

Por primera vez pienso que eso fue lo que mató a Fadi. Por eso, él no tenía ninguna fuerza para correr y escapar.

Eso fue lo que lo mató, no tener nada para seguir adelante. Con un padre, que desde hace tiempo ya no habla con nosotros, y una madre que durante el día se va a hacer la limpieza y por las noches trabaja en la panadería y siempre está cansada, y con Bassam, que se ha marchado a Kuwait para enviar un poco de dinero, y con abuelo que de día en día se encoge más debido a sus cigarrillos.

—Quiero decirle algunas palabras a mi hermano Fadi. Él está muerto—le digo a Jonathan—. Yo no fui al entierro.

El chico verde calla, da unos pasos hacia atrás y deja al chico azul solo con sus pensamientos a la orilla del lago. El aire no se mueve. En todo ese planeta, los únicos que respiramos somos Jonathan y yo (y quizá algunas bacterias). No sé si sopla algún viento. No sé puede decir. Los bosques que hemos plantado, están muy lejos, detrás de las montañas. El agua en el lago está serena.

—Fadi —digo—, eras una joya. Eras un cachorro de león... No te enterré chocolate. Y tampoco fui al entierro, si es que quieres saberlo. Si hubiera ido, con todos aquellos lamentos de las mujeres, de todas formas no habrías podido escucharme, entre tantos apesadumbrados. Perdona, Fadi. No soporto los entierros, Fadi, de verdad que no sabía que tú estabas con nosotros en la calle. Cuando Adnan gritó que escapara, no pensé en nada más. Y a veces también me olvido de pensar en ti. Debes saberlo. También me volví a levantar del alféizar de la ventana. Pero, debajo de la manta, por las noches, pienso en ti. Y hoy, aquí en el planeta Marte, lo he comprendido: No tenías nada para seguir adelante...

A la orilla del lago azul, que nosotros hemos construido, estoy con Jonathan, mi amigo del hospital de los judíos, estamos renovando un mundo. Sin preocupaciones. Ahora que estamos juntos, nada nos parece imposible.

23

Hoy me voy para casa. Así se dice aquí. Aunque vivas muy lejos y tengas que viajar en autobús, no se dice que viajas. Dicen: «Él se va para casa».

Por la mañana, Verdina le dijo a Félix: —Samir se va hoy para casa. Hay que ayudarle a empaquetar sus cosas y redactar el alta. —Me gustó cómo lo dijo. Regaba sus plantas y cantaba su canción. Pero esa mañana no se fijó en sus plantas. Me miró. Irse para casa es como si tú hubieras sido bueno. Como si hubieras vencido.

Me gusta cuando dicen de mí: «Se va para casa». Es como si yo fuera como los otros. También me gustan otras palabras que dicen aquí. Cuando Jonathan dice «km», suena tan noble:

«Hay galaxias que se alejan de nosotros a una velocidad de doscientos millones de km». ¡Qué frase! A veces, la digo para mí, cuando estoy acostado debajo de la manta. Para mí suena como si pudiera ayudar contra el mal de ojo. Quizá cambie *Once there was a wizard* por esa frase.

O cuando Félix le dice a Verdina: «Le he dado a Ludmila diez mililitros del medicamento» o cuando una enfermera verde, con una máscara como en televisión, dice: «Cuando despiertes de nuevo, Samir, la operación estará ya tras de ti».

No sé que es lo que tengo con esas frases. Las repito una y otra vez para mí y ya me encuentro muy lejos de aquí. Con el pensamiento, ya estoy en casa y sigo teniendo las frases en la cabeza. Me pertenecen a mí solo. No a mamá, no a papá, no a Navar, no al abuelo, no a Bassam y tampoco a Adnan. Ninguno de ellos ha escuchado esas frases en su vida. Yo estuve en el hospital con los judíos. Eso es todo lo que ellos saben de mí. Pero en mí, esas frases y voces se han quedado en la cabeza, la cara de cabra de Félix, los globos que se saca de la oreja, los lagos en la pared, Jonathan, Marte y nuestro lago, que es mil veces más bello que todos los demás lagos. No está bien decir esto: En realidad, por un tiempo, he tenido otra familia. Pero eso es un secreto. No se lo puedo explicar a nadie. Quizá ahora me convierta en un Samir distinto que antes. Dentro de mí. Sólo lo que ha dicho Zachi y el sonido de su voz quedan fuera, eso no debe estar en mi corazón.

Estoy sentado con mi bolsa en la sala de espera. Han llamado por la mañana desde la aldea y han dicho que papá había cerrado la tienda y había esperado durante tres días delante de la Administración militar, con una carta del hospital hasta que finalmente consiguió la autorización para salir de la aldea. Viene hoy a recogerme. No se sabe exactamente cuándo. Depende del toque de queda, del ejército y de la situación, también de los autobuses y yo qué sé de qué más todavía. En estos momentos, no hay ninguna comunicación entre las zonas árabes y judías. Todo está cerrado.

Casi ya no creo que mi aldea exista. Cuando declaren el próximo toque de queda, me imaginaré, en cuanto se ponga el sol, que enseguida entrarán Ingrid y la otra Ingrid con té y pastas. Y por las noches, oiré los pasos de Félix cerca de mi cama, que mira si duermo bien.

De pronto, veo a Zachi en el pasillo. Conozco cada uno de sus movimientos. Cada arruga de su pijama. Eso es así cuando se ha pasado mucho tiempo juntos en una habitación. No se puede hacer nada. Pero ahora su pijama tiene un aspecto distinto. Falta algo. Como si hubiera adelgazado. No sé. No tiene el mismo aspecto que de costumbre. Pero me llama más la atención que se comporte de forma distinta, como si hoy le hubiera sucedido algo especial.

Va de un lado para otro y sonríe y no dice a cada instante «Sababa». Pero, qué me importa a mí. Miro a otra parte. Sin embargo, Zachi quiere que mire hacia él. Me quiere obligar a mirarlo. Pasa corriendo a mi lado hasta el final del pasillo, se para delante del ascensor y silba. ¿Por qué tengo que mirar hacia él? Bueno, pues entonces que silbe. Miro hacia él. Sólo por curiosidad. Me da lo mismo. Me voy para casa y él tiene que quedarse aquí. He ganado. Así que no me molesta mirar hacia él. Zachi me hace una pequeña señal con la mano. No estoy seguro, pero la repite. Se ha plantado al lado del ascensor y me hace señales todo el tiempo. No estoy seguro de que se dirija a mí. Sin embargo, en la sala de espera no hay nadie más. Sólo nosotros y yo desapareceré de aquí para siempre. Así que me levanto y voy cojeando en dirección a él. Y mientras ando, pienso lo que me ha dicho Félix: «Tienes dos piernas y las dos son iguales. Una de ellas está algo débil, pero puedes utilizarla lo mismo que la otra. ¿Y para qué tienes piernas con pies? ¡Para pisar sobre ellos! Si tienes compasión de la pierna, entonces ella misma, con el tiempo, se imagina que está enferma». Eso me dijo Félix.

Voy hacia Zachi, pero no me acerco demasiado. Me paro y hago como si solamente mirara el ascensor. Espero a que papá salga de él. Zachi comienza a pasear por el pasillo. ¿Así pues, no se refería a mí? Pero no. Me indica con la mano que le siga. Le sigo. Me da lo mismo. De todas formas, ahora tengo que andar mucho. Lo ha dicho Félix. Andar lo más posible. Zachi está ya al otro extremo del pasillo y espera. Mira a ver si voy. Me he parado ante unos de esos cuadros con un gran lago y contemplo el agua. Quizá sea una especie de juego, pienso para mí. Un juego del que no conozco las reglas. Pero tengo que tener cuidado. Con ese Zachi, se puede comenzar algo como juego y terminar en el foso de las serpientes. Cuidado, un paso tras otro. Y siempre dejar abierta una posibilidad de huida. Nunca he jugado a un juego como éste.

Cuando había toque de queda, Fadi y yo jugábamos con los escarabajos. No teníamos nada que hacer, cazamos un escarabajo negro y lo metimos en una botella vacía. Después, cada uno colocaba su botella tumbada sobre la tierra y, si tu escarabajo encontraba primero la salida, ganabas. No sé cómo sucedía, pero siempre ganaba el escarabajo de Fadi. Los míos se paraban siempre. Sólo Alá sabe qué es lo que se pensarían. A veces, el mío estaba muy cerca de la abertura, pero siempre sucedía que se quedaba como pegado. Se quedaba allí como si estuviera sumergido en sus pensamientos. Yo le animaba, le susurraba en el cuello de la botella: «Venga, negrito mío, venga hermanito, mira lo bello que es el mundo aquí fuera». Pero él no se movía. Como si lo hubieran encarcelado. Como si Alá ya lo hubiera abandonado. Y entonces venía Navar y barría la habitación, de forma que uno se mareaba. Siempre dice que la habitación se limpia levantando en el aire todo el polvo. Se enfadaba porque nuestro juego manchaba el suelo. Y siempre, en el momento más emocionante, golpeaba con su escoba contra las botellas. Ahora me alegro por Fadi de que su escarabajo ganara siempre. Me alegro de que tuviera esos buenos momentos.

De pronto, veo cómo Zachi se baja un poco el pantalón de su pijama y mea en el tiesto que está al final del pasillo. En el primer momento, no lo entiendo. Sólo miro que no venga nadie. Zachi mea, mira a su alrededor y sonríe. No una sonrisa falsa ni tampoco una sonrisa mala. Simplemente, contento, tremendamente contento. Y de golpe, lo comprendo: ¡Le han quitado la bolsa y el tubo! Ahora, de nuevo, todo está bien en él. Zachi quiere mostrarme que todo está de nuevo bien en él.

El ascensor se detiene y Zachi se sube rápidamente los pantalones, y sigue caminando. De nuevo, se da la vuelta, me hace una señal para que lo siga. Así que voy hacia él. Me digo para mí: «¿Por qué corres tras un burro como él, Samir?». Pero no puedo evitarlo. Tengo que ver qué va a hacer ahora.

Hemos llegado hasta Radiología. Es temprano. Todavía no hay ninguna cola esperando. Sólo dos hombres viejos están sentados al lado de la puerta y nos miran cuando pasamos. Primero miran a Zachi, después a mí. No se pierden ninguno de nuestros movimientos. Zachi se para en la esquina, frente a un gran tiesto, pero no hace nada. Me espera. Yo voy más despacio y él me hace todo el tiempo señales y sonríe. Así que cojeo hasta el final del pasillo, y ahora me mira y se reprime la risa. Espero que no quiera hacerlo aquí, donde están sentados los ancianos y nos miran. Pero sí. Está loco. Mete la mano en los pantalones. —¡Dir balak! —le digo. Se me ha escapado. En ese momento, me siento como con Adnan.

Zachi disfruta todavía más. No puede contenerse. Como un bebé. También tiene que hacerlo aquí. Y me hace un gesto amable con la cabeza, como si quisiera decir: «¡Tú también!» Quizá sea exactamente ése mi momento débil. Sólo Alá lo sabe.

Lo mismo que con Adnan. Tú ves cómo comienza y no tienes ni idea de cómo termina. ¡Yo no estoy tan loco como para mear en el tiesto y encima en un hospital y más aún, con los judíos! Pero esa sonrisa de Zachi.

Estoy absolutamente seguro de que es otra sonrisa. De pronto, es muy importante para mí que Zachi no me tome por un cobardica.

—Los viejos —susurra él, como si todo estaría bien si ellos no estuvieran sentados allí—, ¿qué crees que harán? —sigue susurrando— ¿Llamarán a la policía? —y de nuevo, no puede contener la risa— Venga, hagámoslo los dos juntos —dice. Así nunca ha hablado. Casi que lo ruega. «Venga, hagámoslo los dos juntos». Me gusta oír una frase así. Su risa viene de la profundidad de sus ojos. Pero no ruega. Sólo seduce. Lo mismo que Adnan. «No seas miedica», me dice siempre Adnan.

Me digo para mí: Tú no conseguirás abrir tan rápidamente los pantalones, para ti es más complicado, no estás en pijama. Zachi me mira como hipnotizado. Pero yo no me puedo mover. Como si estuviera tullido.

En ese momento, se acerca un celador con una cama y los dos echamos a correr a lo largo del pasillo. Zachi corre delante riéndose, yo cojeo detrás. Se detiene al final del pasillo y se vuelve, quiere ver si yo también voy. Por un momento, pienso que hemos ido demasiado lejos. Quizá papá ya ha llegado y me espera. Tengo que irme. Pero Zachi vuelve, pone su mano sobre mi hombro y vamos juntos, sin hablar una sola palabra, llegamos a la escalera y salimos al patio.

Zachi camina y yo camino con él. ¿Cuántas semanas hemos pasado juntos en la misma habitación y no nos hemos dicho una sola palabra? Y de pronto, en unos minutos es como si todo hubiera sido barrido. Toda la ira. Podía haber quedado tranquilamente un poco de ira, pero ha desaparecido por completo. Quizá yo sea demasiado débil. Quizá todavía no he aprendido lo que a veces dice papá: «No seas tan duro que te rompas ni tan débil que te aplasten». Quizá yo sea verdaderamente un miedica. Tengo que intentar ser más valiente. No dejarme arrastrar por los otros. Testarudo como una mula. Sí, me lo voy a decir siempre, quizá entonces termine acostumbrándome a ello. Quizá yo también necesite los rizos de alguien como Nasar, que es buscado por los militares. Pero yo no los necesitaría para una tontería como esa del amor. Yo sólo los necesitaría para que me recordaran siempre el comportarme como un hombre.

Hemos llegado a un cajón de arena y nos detenemos. No siento nada de miedo, sólo una sensación de bienestar. Y curiosidad. Estamos los dos solos en el patio y estoy expectante ante lo que vaya a hacer Zachi. Y cómo reaccionaré yo. Zachi se baja un poco los pantalones, mientras sus ojos me sonríen todo el tiempo. Y yo, sin saber por qué, desabrocho mi bragueta. Se tarda verdaderamente más que con un pijama. Zachi espera paciente y cuando he terminado, comenzamos los dos al mismo tiempo, Zachi y yo, como a una orden.

Estamos uno al lado del otro y meamos en la arena. Ahora el aire está tranquilo. Como cuando mi discurso fúnebre por Fadi en Marte. El patio está totalmente tranquilo. No se mueve ni una hoja. En momentos semejantes, posiblemente el viento contenga también su respiración. Sólo el sol nos acaricia. Por encima de nosotros, los niños de la planta se reúnen en la ventana y se ríen. También nosotros nos reímos, pero nuestra risa es distinta. Yo no sé qué es lo que Zachi piensa ahora. En mí, en esa risa asoman ya mis primeros pensamientos en casa. Allí me acordaré de este momento y no creeré que fue verdaderamente así. Pero yo lo querré creer. Querré creer que yo, Samir, un chico de la zona ocupada, estuvo aquí con un chico judío, cuyo hermano es soldado y que los dos, riendo, meamos en un recipiente de arena y nos reímos del mundo. Tendré que buscarme todos los días algo nuevo para acordarme de ello, de que verdaderamente sucedió y no sólo en sueños.